大学4年間のデータサイエンスが10時間でざっと学べる

角川文庫
23463

はじめに

データサイエンスの全体を10時間で学べる

　データサイエンスは統計学や機械学習だけではなく、コンピュータサイエンスの諸分野とも関連するため、取り扱い範囲が非常に広い分野です。そのため体系的に基礎知識を身につけるには、さまざまな書籍に当たらねばならず、初学者にとって気軽に全体像を頭に描ける分野ではありません。

　特に近年ではディープラーニングなど、その名前のカッコよさもあってかイメージばかりが先行し、正確にどういう文脈にある技術なのか、正しく理解できていないケースをちらほら見かけます。仮に自分自身がそうした技術を直接用いるわけではなくても、間違った認識にもとづいてあれこれ思考を巡らせ「シンギュラリティは近い」など将来を見通そうとしても、しょせんサイエンスフィクションの域を超えないのは想像にかたくないと思います。

コンピュータの仕組みからディープラーニングまで

　本書は初学者がデータサイエンスを理解する上で必要な基礎知識を1冊にまとめたものです。一般的なデータサイエンスの本では省略されがちな前提知識、たとえばハードウェア技術、ソフトウェア技術、アルゴリズムの話なども、データサイエンスとの関連を強調しながら丁寧に解説するように努めました。本書を通じてざっとでもデータサイエンスを支える基礎技術をつかんでいただければ幸いです。

　とはいえ読者によっては「プログラミングの話は興味ない」「商用利用するわけではないからデータベースの話は関係ない」など、さまざまなニーズがあるでしょう。そうしたニーズにも応えられるように、章ごとになるべく完結するように書かれています。そのため好きな箇

所から読み進めてもらって構いません。

数式について

　本書では数式を用いて説明している箇所が少なからずあります。しかし、そうした数式はあくまで「ちゃんと数学的に定義し、コンピュータに指示を与えることができる」ということを理解してもらうために掲載しているだけです。

　また数式は出るたびに言葉でその意味を丁寧に説明しています。多くの読者にとっては数式自体を細かく理解する必要はありません。むしろ挿絵みたいなものとして読み飛ばしてもらっても問題ないです。

　無論、さまざまなアルゴリズムの差はこの数式上の差による部分が大きいです。また、大学院でデータサイエンスを勉強したり、自分で新しいアルゴリズムを開発したり、アルゴリズムを体系立てて理解したりする際には、数式を理解する必要があります。そうした読者はぜひ本書を出発点に、もっと専門的な書物に挑戦することをお勧めします（本書の最後に参考となる書籍をリストアップしています）。

データサイエンスを学ぶことで何ができるようになるか

　情報通信技術の進展とともに、さまざまなデータが集められるようになってきたことは周知の事実だと思います。またインターネットやスマホ、IoT 技術など、ある種のオートメーションエンジニアリングが日常生活にまで入り込んできていることに思い当たる人も多いでしょう。

　EC 市場で何かを購入する際に別の商品をすすめられたり、クレジットカード会社から身に覚えのない購買行動の問い合わせがきたりするのは、裏でデータサイエンティストが必要なアルゴリズムを構築したからです。

　もちろんそうした IT っぽい仕事だけでなく、もっと文系的な仕事

もデータサイエンティストの仕事に含まれます。官公庁がビッグデータから知見をまとめてレポーティングすることや、コンサルティングファームが大きな意思決定を支援する際にも、従来のコンピューティング技術や統計手法だけではどうしても限界が生じることがあります。その際にもデータサイエンスは役立ちます。

データサイエンスの未来

　データサイエンスは日進月歩している分野でもあります。取得可能なビッグデータも変わるでしょうし、人工知能技術の進展とともに社会的にデータサイエンティストに求められるニーズも表層的には変わっていくでしょう。実際本書でも扱っている、画像やテキストなど非構造化データの分析は、近年の技術進歩に支えられて流行するようになったものです。

　またビッグデータ、人工知能、IoT、ブロックチェーンなど、複合的に技術革新が組み合わさった結果、社会の至るところでオートメーションエンジニアリング導入の流れが不可避的に進行しています。この流れの恩恵としてデータサイエンス業界でも今まで考えたこともなかったデータサイエンス課題が日々生まれています。ひょっとしたら、今までわれわれがデータサイエンス課題と思っていたものはほんの氷山の一角にすぎず、本当に面白いデータサイエンス課題にはまだ気がついてさえいないのかもしれません。

　しかしそうであったとしても根本の計算や統計などの科学的知識は、そう大きく変わるものではありません。そして、こういう変化の激しい時代だからこそ、データサイエンスの基礎を学ぶことが重要であるといえます。本書が読者にとって基礎力のしっかりしたデータサイエンティストを目指すきっかけになったとするならば、筆者としてそれに勝る喜びはありません。

第2部
データサイエンスの基礎技術

第 3 部
統計学・機械学習の基礎

第4部
コーパスとネットワークの分析

第5部
ディープラーニング

20 ディープラーニングによる画像分析

編集協力　前窪明子・岩佐陸生
本文デザイン　二ノ宮 匡
図版作成　ISSHIKI

第 1 部

データサイエンスの基本

① データサイエンスとは

第 1 部　シラバス

総括　昨今の情報通信技術、人工知能技術、ビッグデータ、データサイエンスブームを過去のものと大きく隔てている特徴の１つに、産業界の大きな関心があります。

人類の歴史上、オートメーションエンジニアリング化の流れの多くは、肉体労働を機械に置き換えるものでした。それに対し現代の流れは一部であったとしても頭脳労働を機械に置き換えることを標榜したものです。完全に人間を超えることはないにしても、電気代だけで24時間疲れることなく頭脳労働に従事することのできる機械が産業界にとって魅力的なのは改めて言及するまでもないでしょう。

こうしたブームにはよい側面だけがあるわけではありません。社会がある種の熱狂状態になるということは、思いつく限りの事例に対してとりあえず新しい技術を活用してみるという、いわば社会における「思考の自動化」を生むことになります。後々思い返してみて赤面するくらいの話ならよいのですが、新たな社会問題が生じるとなると黙っていない人も多いでしょう。

しかし歴史を紐解けばわかる通り、こうした熱狂の中からこそ新しい応用問題や基礎問題、さらには技術革新が生まれてきます。そしてブームによりこれまで学術の世界だけで活用されていた技術が社会の至るところで活用されるということは、それらの技術の低コスト化と同時に、社会における常駐化も意味します。

データサイエンスとはそうした大きなうねりの中で日進月歩

している分野なのです。

　では現在のデータサイエンスを取り巻く状況はどうなっているのでしょうか？　第1部ではこの問いに簡潔に答えると同時に、現代社会においてある種の情報のプレイグラウンドとなっているウェブの世界からデータを収集する方法をいくつか紹介します。

1章　最初にデータサイエンスとは何か簡単に説明したあとに、近年すっかりバズワードになったビッグデータについて解説します。次に人工知能とデータサイエンスの関係性を説明し、そのあとに改めてデータサイエンティストの役割について述べていきます。

　データサイエンスを学びたいと思っても面白いデータがなければ始まらないと思う読者も多いでしょう。そこで本章の後半3節分では、オープンデータの活用、Web API の活用、ウェブスクレイピングなどとウェブ上からデータを集めるさまざまな方法について解説します。

▶データサイエンスの基本

01 | データサイエンス とは

　情報通信技術の進歩とともに、データ分析が必要とされる場面は飛躍的に増えました。インターネットやスマートフォン、スマートセンサー、GPS などのハードな技術だけでなく、ソーシャルメディア、EC（電子商取引）市場、ウェブ広告、ブロックチェーン、IoT（モノのインターネット）などのソフトな技術も日進月歩しており、それらを支える人材の需要は飛躍的に増加しています。

　実際2017年の世界企業の時価総額ランキング上位5社（Apple、Google〔Alphabet〕、Microsoft、Facebook、Amazon）はいずれもデータ分析を広く活用しており、英国の著名な経済紙である The Economist 誌は2017年に「今、最も価値のある資源はデータである」という記事を掲載して話題になりました（右ページ①）。

　それではデータサイエンティストとはどういう技能をもつ人なのでしょうか。本書では「**コンピューティング技術を活用し、データの収集と処理、統計学や機械学習的分析、意思決定や商品開発までの一連の流れを効果的に処理する技能をもつ人**」を指すことにします。

　近年ではデータサイエンティストをさらにビジネスよりの「業務系」と実装重視の「IT 系」とに峻別することもあります。その意味では本書は後者に焦点を絞ったものです。データサイエンティストに必要な知識や技能は多岐にわたり、一筋縄ではいきません。**数学、アルゴリズム、ハードウェアの知識、ソフトウェアの知識、統計学、機械学習、ビジネス課題解決などの応用力……**。本書は初学者がデータサイエンスの全体をつかめるように書かれたものです。それでは早速学習していきましょう。

30秒でわかる! ポイント

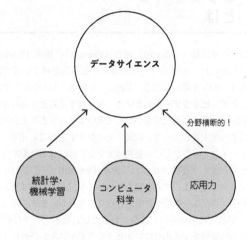

データサイエンスの分野

データサイエンス

統計学・機械学習

コンピュータ科学

応用力

分野横断的！

今、最も価値のある資源はデータである
（The Economist 誌）

エコノミスト誌の記事はここで読めます!

①"The world' s most valuable resource is no longer oil, but data",The Economist,
May 6th 2017,
(https://www.economist.com/news/leaders/21721656-data-economy-demands-
new-approach-antitrust-rules-worlds-most-valuable-resource)

▶ データサイエンスの基本
02 ビッグデータ とは

　近年のデータは量（Volume）、速さ（Velocity）、種類（Variety）、正確さ（Veracity）が従来と大きく異なると議論されています。また前述の4つのVを用いて価値（Value）を創出するのが肝要であるということで、**ビッグデータの5V**と一括りにすることもあります。

　量（Volume）は容易に想像がつくと思います。さまざまな情報通信技術によって大量のデータが収集可能になりました。EC市場、ソーシャルメディア、IoTなどその範囲はますます広がっています。

　量とともにデータが生み出される**速さ（Velocity）**も変わりました。スマホやウェブ上の閲覧行動1つとっても、その行動は常に記録され、検索エンジンや推薦システムで役立てられています。スマートセンサーが新たにデバイスに設置されるたびにそのデータは収集され、何らかの価値を生み出せないかとさまざまな試みが行われます。

　種類（Variety）も近年大きく変わった特徴の1つです。たとえば物価などの集計量ではなく、詳細な値動きや取引量など、マイクロデータを用いた経済分析も活発になりました。文書、画像、動画、音声などの非構造化データの有効活用が広く試みられるようになったのも近年の動向だといえます。

　正確さ（Veracity）に関しては必ずしもポジティブな話だけではありません。詳細な取引データなどは何もかも記録しているからこそ情報が正確になっている部分もあれば、ブログ記事などはフェイクニュースの温床にもなっており、情報が正確とはいいきれません。

　こうした**データ環境の変化に柔軟に対応し、データ分析を通じて価値（Value）を創造する**のがデータサイエンティストの仕事です。

30秒でわかる！ ポイント

ビッグデータの5V

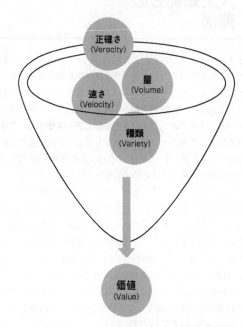

正確さ
(Veracity)

量
(Volume)

速さ
(Velocity)

種類
(Variety)

価値
(Value)

ビッグデータとは近年取得可能に
なったデータの総称。
大きく4つの側面が
従来のデータと異なるといわれている

▶データサイエンスの基本

03 人工知能との
関係

ビジネスパーソンと話すと、よく「データサイエンスと人工知能の関係は何か」と聞かれることがあります。無味乾燥に答えると、本書の後半で扱う機械学習はデータからパターンを学習するために発展した分野で人工知能の一分野ですが、それと同時にデータサイエンスでも広く使われる手法です。つまり**人工知能とデータサイエンスは機械学習を共通項としてもつ**という答えになります。人工知能の創始者の1人であるジョン・マッカーシーによれば、人工知能とは「賢い機械。特に賢いプログラムをつくるための科学と工学」のことです。

もちろんそうしたプログラムがデータサイエンスに関連するすべての問題を解決してくれればそれにこしたことはないのですが、特に人工知能の発展の歴史は「簡単だと思っていた問題が意外に困難で人工知能が人並みのパフォーマンスを出すのに予想以上に時間がかかった歴史」の繰り返しでした。20世紀中頃に人工知能がブームになったときも、「10年もすれば機械はチェスの世界チャンピオンを倒せる」といわれていましたが、実際はもっと時間がかかりました。現在の人工知能の技術はそうした状況下でも研究者がたゆまぬ努力をした結果、できあがっていったものです。

一方、データサイエンスで必要とされる技術は多様です。それを踏まえると現在データサイエンティストが手動でしている仕事の多くを人工知能が代替できるのは、もっと先のことだと考えるのが自然でしょう。人工知能により自動化できる工程は自動化したほうがよいです。それでも**データの中から価値を見出すという全体の流れを制御する仕事はどこまでいっても人間の仕事になる**でしょう。

30秒でわかる！ ポイント

データサイエンスと人工知能・機械学習

データサイエンスで使う
機械学習は人工知能の一分野

自動化できるところは
うまく自動化し全体の
流れを制御するのが
データサイエンティストの仕事

（人工知能は）賢い機械。
特に賢いプログラムを
つくるための
科学と工学である

John McCarthy
（人工知能の創始者）
1927年9月4日－2011年10月24日

▶ データサイエンスの基本

04 | データサイエンティストの役割

　ここではデータサイエンティストに求められる役割について少し見てみましょう。**データサイエンスの流れ**は、（1）何をやるか明確にし（仮説立て）、（2）どのようなデータを集めるかを考え、（3）必要な理論や要素技術を組み合わせプログラムを実装し、（4）フィードバックされた情報にもとづき改善する、というある種の PDCA サイクルの繰り返しになります。

　このサイクルを回す際に重要なのは、**自分がしていることが最終目的に合致しているか強く意識する**ことです。当初の目的にそぐわないデータを集めても意味がありません。統計モデルをつくったとして、その評価尺度が実態と噛み合わなければ努力も水の泡です。また最終的に商品化や意思決定が重要なときに単なる興味本位のデータ分析を積み重ねても、いたずらに報告書が長くなるだけです。

　しかし上記サイクルの全工程を自由に探求することができる人は、実際には少ないです。商品化などは企業に勤めていなければ関わることができるものではないでしょう。ウェブ上のデータは比較的集めやすいですが、スマートセンサの情報を一個人がアクセスするのも困難だと思います。また、人によってどの部分を重視するかも異なります。「統計技術なんて平均や分散だけでよい。面白いデータを収集することがすべてだ」というラディカルな発想をする人もいれば、異なるデータでも汎化性能（9章3節参照）を発揮する統計的アルゴリズムを追求するのが好きな人もいます。しかし、そうであったとしても必要とされる要素技術の全体を理解し、作業工程が最終的な価値創出につながっているか強く意識するのが重要なのはいうまでもないでしょう。

30秒でわかる！ ポイント

データサイエンスの流れ

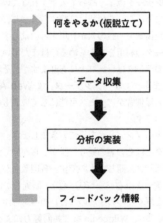

何をやるか（仮説立て）

↓

データ収集

↓

分析の実装

↓

フィードバック情報

 How を構成する計算や統計などの
しっかりした基礎知識をベースに、
大きい What に応えられる
データサイエンティストが求められる

▶データサイエンスの基本
05 データの収集法（1）
オープンデータ

それではビッグデータはどうやって入手すればよいでしょうか？

販売するために集められた情報は高額すぎますし、企業や行政がその活動で収集した情報を一般の人が利用するのはむずかしいです。しかし、ビッグデータの利用をあきらめるのはまだ早いです。

一般的に多くのデータはウェブ上にありますが、それらは大きく3種類に分類されます。①**オープンデータ**、②**Web API**（次節参照）によってサービス提供者がアクセス可能にしているもの、③**ウェブコンテンツ**そのものです。

ここではまずオープンデータを見ていきましょう。

オープンデータとはその名の通り、誰かしらが広く活用してもらおうとデータを成形し、公開したものです。各国政府が提供する広く社会に関する統計データ（右ページ①〜③）、研究者が機械学習のアルゴリズム（問題を解くための手順のこと）のベンチマーク用に公開するデータ（同④、⑤）、Wikipediaなど共同努力によって集まった情報をデータベース化したもの（同⑥）、パナマ文書など特定団体が公開したデータ（同⑦）、データサイエンスブログが公開したデータ（同⑧）、映画データベース（同⑨）などがあります。提供元もその内容もさまざまです。オープンデータ化の動きは活発で、少し検索するだけでも面白い発見があると思います。

またデータサイエンスの腕を試したいなら、Kaggle（同⑩）やDeepAnalytics（同⑪）などのデータサイエンスコンペティションに挑戦してみるのもよいです。中には高額の賞金が提示されていたり、興味深いデータもあったりするので、よい経験になると思います。

30秒でわかる! ポイント

オープンデータとは

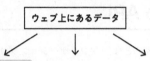

ウェブ上にあるデータ

オープンデータ　　Web API によるもの　　ウェブコンテンツ

- ●オープンデータ化の動きは活発
- ●ウェブ上には政府、研究者、各種団体が公開するデータなど無料で使えるデータがたくさんある

各国政府が公開する統計データ
① 日本 総務省
https://www.e-stat.go.jp/SG1/estat/eStatTopPortal.do
② 米国 https://www.data.gov
③ 英国 https://data.gov.uk

研究者が公開するデータ
④ UC Irvine Machine Learning Repository
http://archive.ics.uci.edu/ml/index.php
⑤ MNIST http://yann.lecun.com/exdb/mnist/

共同努力で集まった情報をデータベース化したもの
⑥ DBpedia http://wiki.dbpedia.org/

特定団体が公開したデータ
⑦ Panama文書 https://offshoreleaks.icij.org/pages/database

データサイエンスブログが公開したデータ
⑧ https://github.com/fivethirtyeight/data

映画データベース
⑨ http://www.imdb.com/interfaces/

KaggleやDeepAnalyticsなどの
データコンペティションに挑戦しよう!

⑩ Kaggle　　　　https://www.kaggle.com/
⑪ DeepAnalytics　https://deepanalytics.jp/

▶ データサイエンスの基本

06 データの収集法（2） Web API

前節でふれた API とは、「アプリケーションプログラミングインターフェース」の略称で、**サービス提供者がソフトウェアの一部や保有するデータをほかのユーザーにも有効活用してもらおうと公開するサービスのことです。**

国立国会図書館（右ページ①）、楽天（同②）、ぐるなび（同③）、リクルート（同④）、Google（同⑤）、Facebook（同⑥）、New York Times（同⑦）、Associated Press（同⑧）、Foursquare（同⑨）、Yelp（同⑩）など、API を公開している企業や内容はさまざまです。

仮にデータそのものがウェブコンテンツとして閲覧可能で、次節で説明するウェブスクレイピングで取得可能であったとしても、**API が提供されている場合は API を用いてデータを取得するのが基本**です。なぜなら API であればリクエスト数を制限するなど、サーバーにかかる負荷を管理者がコントロールできるからです。

API の利用にはプログラミングを用います。プログラミングを通してコンピュータからリクエストを相手側に送り、そのレスポンスを受け取ることでデータを取得します。

レスポンスとして返ってくるデータの形式はサービスにより違いますが RSS、XML、JSON などと呼ばれる特殊な形式が多いです。3章で説明するプログラミング言語の多くではこうした特殊なデータ形式の処理を簡便にするためのライブラリが提供されており、うまく活用することで容易にデータを処理できると思います。

また、サンプルコードなどが公開されている場合も多いので、プログラミングも比較的容易にできると思います。

30秒でわかる！ポイント

Web APIとは

API … サービス提供者がソフトウェアの一部や保有するデータをほかのユーザーにも有効活用してもらおうと公開するサービス

注意点
- APIがある場合は必ずそれを用いること
- プログラミングを通じてリクエストを投げる

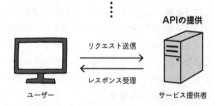

APIの提供

リクエスト送信 →
← レスポンス受理

ユーザー　　　　　　　　　サービス提供者

APIの公開例

① 国立国会図書館　http://kokkai.ndl.go.jp/api.html
② 楽天　https://webservice.rakuten.co.jp/document/
③ ぐるなび　http://api.gnavi.co.jp/api/
④ リクルート　https://a3rt.recruit-tech.co.jp/
⑤ Google　https://console.cloud.google.com/
⑥ Facebook
　https://developers.facebook.com/docs/graph-api/?locale=ja_JP
⑦ New York Times AP　http://developer.nytimes.com
⑧ Associated Press　https://developer.ap.org/ap-content-api
⑨ Foursquare　https://developer.foursquare.com
⑩ Yelp
　https://www.yelp.com/developers/documentation/v2/overview

▶ データサイエンスの基本

07 データの収集法（3）ウェブスクレイピング

　一般的にWeb APIが提供されているウェブページやrobots.txt（ドメインに /robots.txt を追加すると閲覧可能）で禁じられている場合はしない原則がありますが、そうした制約がない場合はウェブページ自体から情報を抽出することも可能です。

　みなさんがブラウザでウェブサイトを表示できているということは、情報はそこにあるわけで、その**情報を収集する行為をウェブスクレイピングと呼びます**。もちろん手動で一つひとつ収集してもいいですが、さすがに煩雑なので一般的にはプログラミングで自動的に収集します。ウェブ上には興味深いサイトが多くあります。たとえば米国の銃を用いた事件一覧（右ページ①）やインドの賄賂一覧（同②）などさまざまです。面白いサイトを見つけ次第データを集めると、データサイエンスのよい勉強になります。

　ブラウザを開いた際にマウスを右クリックし、「ページのソースを見る」という項目を押してみましょう。そこで表示されるのがhtmlで、多くの情報はここに記録されています。また、htmlにおいて情報はパターン化されて記録されているため、比較的簡単なテキストマッチングで情報を抽出することが可能です。

　近年ではPythonの **BeautifulSoup** や **Apache Tika** などウェブスクレイピングを簡便にするためのソフトウェアも開発されています。それらを活用するのもよいです。最後にウェブスクレイピングをする際に重要なことがあります。それは相手のサーバーに負荷をかけすぎないことです。少し収集しては休むなど、プログラムを工夫して集めましょう。

30秒でわかる！ポイント

ウェブスクレイピングとは

ウェブ スクレイピング	…	ウェブサイトから情報を 収集する行為のこと

robots.txtの見方

ホームページアドレス	+	/robots.txt	➡	閲覧可能

 ホワイトハウスのrobots.txt
https://www.whitehouse.gov/robots.txt

```
# robots.txt
#
# This file is to prevent the crawling and indexing of certain parts
# of your site by web crawlers and spiders run by sites like Yahoo!
# and Google. By telling these "robots" where not to go on your site,
# you save bandwidth and server resources.
#
# This file will be ignored unless it is at the root of your host:
# Used:    http://example.com/robots.txt
# Ignored: http://example.com/site/robots.txt
#
# For more information about the robots.txt standard, see:
# http://www.robotstxt.org/wc/robots.html
#
# For syntax checking, see:
# http://www.sxw.org.uk/computing/robots/check.html

Sitemap: https://www.whitehouse.gov/sitemap-full.xml

User-agent: *
Crawl-delay: 10
# CSS, JS, Images
Allow: /misc/*.css$
Allow: /misc/*.css?
Allow: /misc/*.js$
```

ホワイトハウス
HP

注意点

● robots.txt で許可されているものしか集めないこと
　（一般ユーザーは User-agent: * で表記されることが多い）
● 相手のサーバーに負荷をかけすぎないように
　プログラミングを工夫する

こんなサイトも見てみると面白い！

① 米国の銃による事件一覧 http://www.gunviolencearchive.org/
② インドの賄賂一覧 http://ipaidabribe.com/#gsc.tab=0

データサイエンス
の基礎技術

```
10100101
01001010
10000110
10000011
```

第 2 部　シラバス

総括　意外に知られていませんが、人工知能にしろデータサイエンスにしろ、ハードウェアやプログラミング、データベースなどのソフトウェア、そしてアルゴリズムの進化が昨今のブームを生んだ1つの大きなきっかけでした。

データサイエンス本というと、どうしても統計学や機械学習のほうがセクシーで格好いいのでそれらの説明に偏りがちですが、本書では「縁の下の力持ち」にもしっかりスポットライトを当てていきます。

本書が標榜する「ビッグデータも扱える基礎力の高いデータサイエンティスト」を目指さないまでも、こうした基礎技術を理解し、アルゴリズム屋さんやデータベース屋さんに話してみると、思いがけずためになる話を聞けて面白いかもしれません。

2章　ここではコンピュータの仕組みの中核となるトランジスタの説明から始め、現代のコンピュータの基本となるフォンノイマンアーキテクチャについて説明していきます。またトランジスタの集積度の進化をとらえたムーアの法則についても軽く言及し、最後に近年広く使われるようになったGPUについて解説します。

今流行のディープラーニングも、発想自体は以前からアカデミックサークルの中で広く共有されたものでしたが、それらが社会に広く普及したのは、GPUなどのハードウェアの進化があったからこそです。この章を読むと現代のハードウェアの進化の様子がわかると同時に、次にPC売り場に行くのが少し楽しみに

なるかもしれません。

3章　データサイエンスではコンピューティング技術を有効活用する必要があります。そしてコンピュータに命令を与える際に使用するのがプログラミングです。そのためプログラミングを一定水準理解することはデータサイエンティストにとって必須といえるでしょう。

そこで3章と4章ではプログラミングを学んでいきます。プログラミング言語というものは非常に多種多様で書き方も異なるので、プログラミングは初学者が挫折しやすいところでもあります。ただ、実は各言語を構成している根本思想や表記法はそう異なるものではありません。また初心者がプログラミングする際によく間違える箇所も、そうバラエティがあるものではありません。

3章では最初にプログラミングの概要から始め、現代の潮流までを読み物としてまとめました。次にプログラミングの根本要素であるデータ型・データ構造、制御構文、関数を解説します。この3つの根本要素をうまく使うだけで、たいていのプログラミングは可能になるのが本章のポイントです。

4章　3章で学んだ基本をもう少し発展させます。まず最初の節ではプログラミング言語の根本思想に対応するプログラミングパラダイムを解説しています。3章の後半ではおもに構造化プログラミングに焦点を絞った説明を展開しました。そこで本章では、構造化プログラミング以外でデータサイエンスにおいてよく使われる関数型プログラミング、オブジェクト指向型プログラミングなど、もう少し発展的なプログラミング

パラダイムについて解説しています。

　4章の最後ではライブラリやバージョン管理システムなど、プログラミングをする上でのコツについても軽く説明しています。プログラミングスキル自体は実際書いてみないと上達するものではありませんが、3章4章を通じて少しでも書き出してみるハードルが下がればと思います。

5章　バラク・オバマ元米国大統領が Google を訪問した際に「100万の32ビット整数をどうソートしますか？」と聞かれ、即座に「バブルソートでは絶対やらないな」と答え会場を沸かせた話は有名ですが、この逸話の面白さを説明できますか？

　本章と、続く6章ではソートアルゴリズムをおもな話題とし、この逸話の裏にある知識（バブルソート→100万の2乗→1兆という対応関係）を見ていきます。そうすることでアルゴリズムの基本をつかめるようになると同時に、データサイエンスだけでなく日常的にも（ゲームのステータス画面において情報を整理するときなど）使用頻度の高いソートアルゴリズムの仕組みがわかるようになります。

　まず第5章ではアルゴリズムの基本から始め、簡単な計算量の計算を通じて5章3節で説明するO-記法に慣れることを目標とします。

6章　本章では本題のソートアルゴリズムの比較を行っていきます。インサーションソート、マージソート、クイックソートそれぞれの計算量を実装例とともに説明することで、直感的にO-記法を評価できるようになることを目指します。5章6章を学ぶことで、アルゴリズムの本質に迫ると同時に、

$O(n^2)$という一見すると何だかややこしい表記法が、実は計算量を大雑把に判定するための仕組みにすぎないことに気がつくはずです。

7章 データベースを見ていきます。ビッグデータの時代になって分析だけが変わったと思うのは早計です。データはそもそも整理・管理できなければ、何もできるものではありません。そのため、ビッグデータ登場以降、データベース技術は飛躍的に進歩しました。またそうした巨大な技術革新があったからこそ、Google や Amazon など、現在グローバルスケールで活躍することができる企業が誕生したといっても過言ではありません。

そこで本章では現代のデータベース技術革命の発端となったGoogle の技術革新を見ることで、データベース技術の世界にふれていきます。

8章 9章以降で見ていく統計モデルを使用する際には、モデルがデータに沿ったものになるように（パラメータなどをいじることで）モデルを調節する必要が生じてきます。その場合数学的に定めたなんらかの評価基準を用い、それを最大化するようにモデルを調節することになります。この際に使用するのが最適化の技術です。

統計アルゴリズムで使用する最適化だけに絞っても非常に多くの種類があるのですが、ここでは基本となるものをいくつか見ていきます。おそらくこの章が全体を通して最も数式的に難解な章です。詳細に数学を理解できないまでも、直感的に理解するだけでも役立ちますので、あまり身構えず読むようにしてください。

② 計算機の仕組み

▶ データサイエンスの基礎技術

**01 半導体とトランジスタと
ロジックゲート**

　データ処理に不可欠なコンピュータは**半導体**素子から成り立っています。それでは半導体とはどういった物質なのでしょうか？

　シリコンに代表される半導体は、電気を通しにくい絶縁体と通しやすい金属などの伝導体のちょうど中間の特性をもつ物質です。そのため不純物による成分調整や外部からの電気的な干渉などにより、ある時は絶縁体的に、またある時は伝導体的にというように振る舞いを柔軟に変えることができます。この特性を利用し、半導体を組み合わせて電気的なスイッチとして機能させたデバイスが**トランジスタ**です。トランジスタの代表的な構造であるMOS（Metal-Oxide-Semiconductor）トランジスタの構造を右ページに示します。これは正の電圧をかけることでスイッチが入るnFET と、電圧をかけないとスイッチが入るpFET の2種類があります。

　コンピュータは情報を論理的な規則に従って計算処理するものだといえます。さてコンピュータの論理計算の裏でトランジスタはどのように働いているのでしょうか。まず情報の担い手として電圧を利用すると考え、高電圧（例＋5V）を1、低電圧（例0V）を0とみなすことにしましょう。**すべての演算は右ページの図にあげる NAND と NOR の2種類の関数（ロジックゲート）により構成することができます。**トランジスタを組み合わせて、NAND と NOR 関数は右ページ図のような回路として構成することができるため、**どのような論理的な処理でも半導体回路を使って実現できる**ことがわかります。事実コンピュータのもつ演算回路は、**多数の論理回路を組み合わせて多様な演算を可能とした**ものです。

30秒でわかる！ ポイント

半導体の特徴

	絶縁体	半導体	伝導体
物質	プラスティック	Si(ケイ素) Ge(ゲルマニウム) GaAs(ヒ化ガリウム)	金、銅、鉄
電気	通さない	通したり 通さなかったり	通す

MOSの構造図

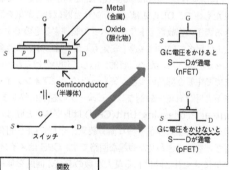

	関数	
a b	NOR (a,b)	NAND (a,b)
0 0	1	1
0 1	0	1
1 0	0	1
1 1	0	0

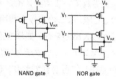

NAND gate　　　NOR gate

▶データサイエンスの基礎技術
02 | CPU、RAM、フォンノイマンアーキテクチャ

　演算回路に加えてもう1つ、コンピュータを構成する上で重要な部品が、計算用結果を書き留めて置くための Random Access Memory(RAM) です。これらもおもにトランジスタを利用して構成されています。代表的な記憶素子である Static RAM(SRAM) と Dynamic RAM(DRAM) の基本構成を右ページに掲載します。

　SRAM は論理否定と呼ばれる論理回路を向かい合わせて状態を安定化させたもので、DRAM はコンデンサと呼ばれる電気を溜めることのできる素子の充放電をトランジスタで制御するものです。SRAM は DRAM に比べて動作は高速で安定もしていますが、より多くのトランジスタが必要となるため、目的に応じて使い分けられています。

　ここまでで主要な部品の説明が終わったので、**フォンノイマンアーキテクチャ**と呼ばれる一般的なコンピュータの説明に移りましょう。まず Central Processing Unit(CPU) はレジスタと呼ばれる高速かつ少数の記憶装置と多種多様な演算装置、そして CPU 自体の動作制御装置などを組み合わせた複雑な回路です。CPU はメインメモリ、もしくは単にメモリと呼ばれる莫大な数の RAM 回路を集積した記憶装置に接続されています。メインメモリの記憶素子は番号が割り振られており、CPU はこの番号を利用して必要な箇所のメモリへアクセスし、情報の入出力を行い処理を進めます。

　フォンノイマンアーキテクチャではメインメモリに CPU への命令とデータが混在して置かれており、CPU は文脈に応じてこれらを見分けて処理を行っていきます。このように、0と1の配列で記述されたコンピュータへの命令、すなわちプログラムを**機械語**と呼びます。

30秒でわかる! ポイント

SRAM、DRAMとフォンノイマンアーキテクチャ

SRAMの基本的な構成例　　**DRAMの基本的な構成例**

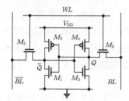
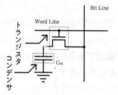

フォンノイマンアーキテクチャ

メインメモリ

データ	アドレス
0 1 0 1 0 0 0 1	0
0 1 0 0 1 0 0 0	1
1 1 1 0 1 0 0 0	2
1 1 1 1 0 0 0 1	3
⋮	⋮

CPU

●あるメモリアドレス（ここでは 2）の情報を読み込む
●情報は処理命令かもしれないし、データかもしれない
●処理の結果はまた別のアドレスへ書き込まれる

▶ データサイエンスの基礎技術

03 | 記憶装置の 階層構造

　CPUと十分広大なメインメモリさえあれば、原理的にはコンピュータを動作させることができます。しかしながら現実にはメインメモリの大きさには経済性および技術面で限界があり、また**メインメモリを構成するSRAMやDRAMは電源を落とすと記録された情報が消えてしまいます。**

　そのため現在利用されるコンピュータにはメインメモリのほかに補助記憶装置としてHDDやSSDが利用されることが一般的です。これらは速度に関してはメインメモリに劣りますが、容量はその100～1000倍程度もあり、また**電源を落としても情報が消えることはありません。**われわれが利用するコンピュータプログラムやデータは普段は補助記憶装置に格納されています。プログラムを起動すると、これらの情報はメインメモリ上へ展開され実行されます。

　メインメモリと補助記憶装置の例のように、**記憶装置の容量の大きさとアクセス速度にはトレードオフがあります。**これらはCPU内部のレジスタとメインメモリの間に関しても同様で、CPUの動作速度に比べ、メインメモリのアクセス速度は非常に遅くなります。この速度の差を埋めるため、多くのCPUはキャッシュと呼ばれる高速かつ中規模の記憶装置を備えています。**頻繁にアクセスされるメインメモリの内容をキャッシュへあらかじめコピーしておくことで、メインメモリのアクセス回数を減らし処理速度を向上させることができます。**

　以上のように**コンピュータの記憶装置は速度と容量に応じた階層構造を成しています。**データサイエンティストにおいては、この階層構造を意識したコンピュータの組み立てが不可欠です。

30秒でわかる！ ポイント

階層構造を意識した実装を行おう

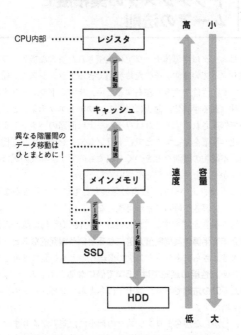

TIP!
ヒント

● HDDやSSDからのデータのロードはできるだけひとまとめに
● 連続した処理の中ではメモリアクセスの位置を集中させ、
　キャッシュを有効活用

② 計算機の仕組み

▶ データサイエンスの基礎技術

04 トランジスタの集積度とムーアの法則

　コンピュータは半導体チップ上に集積された莫大な数のトランジスタで成り立っています。そのため利用できるトランジスタの総数はコンピュータの性能を大きく左右するといえます。トランジスタはウェハーと呼ばれる半導体の薄板に対して、フォトエッチングという方法を用いて作成されます。これはウェハー上に回路のパターンを投影しながら化学反応を起こすことで、トランジスタを構成する電極や絶縁体薄膜、不純物の濃淡などをつくり出すものです。写真の現像の様子を思い浮かべるとイメージしやすいでしょう。

　このようなウェハー加工技術の発展とともに、より細かな回路をウェハー上に焼きつけることが可能となり、結果としてチップ上のトランジスタ総数を増やすことができます。**1970年代以降、この技術発展は２年で半導体集積密度が倍になるという爆発的なスピードで進んでいます。**さらにトランジスタの微細化とともに動作速度も向上することから、**性能の意味では1.5年で倍になる**ともいわれています。これが**ムーアの法則**であり、数十年におよぶコンピュータの性能向上はこの帰結です。

　さて、しかしながらトランジスタの縮小には限界があります。まずトランジスタの大きさを原子の大きさよりも小さくすることはむずかしいでしょう。またトランジスタの大きさが原子の大きさに迫れば、電子の確率的な漏れ出しなどの量子効果が無視できなくなることで、トランジスタを動作させることはむずかしくなります。

　このような量子効果はすでに大きな問題となっており、ムーアの法則の維持は年々むずかしくなっているといえるかもしれません。

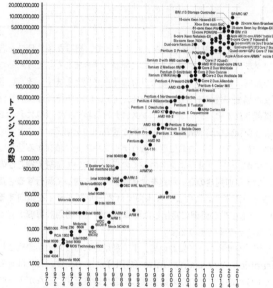

2年ごとにトランジスタの数が2倍に！

ムーアの法則—集積回路チップにおけるトランジスタの数（1971-2016）

Data source : Wikipedia (https://en.wikipedia.org/wiki/Transistor_count)
The date visualization is available at OurWorldinData.org. There you find more visualizations
and research on this topic.
Licensed under CC-BY-SA by the author Max Roser.

> ムーアの法則は、約2年ごとに集積回路のトランジスタ数が2倍になるという経験的規則性を示しています。そのほかの技術的な進歩（たとえば処理速度やエレクトロニクス製品の価格）にも大いに関連しています

出典）Max Roser and Hannah Ritchie (2018) - "Technological Progress".
Published online at OurWorldinData.org. Retrieved from:
'https://ourworldindata.org/technological-progress'

② 計算機の仕組み

▶ データサイエンスの基礎技術

05 | GPU

　CPU は制御・演算機構を組み入れることで、複雑な条件分岐を含むプログラムを高速に処理するために発展してきました。こういった高度な機構は非常に巨大で複雑な計算回路を必要とします。また、さまざまな場面で性能を発揮するために、CPU には多種多様な演算回路が搭載されます。データサイエンスにおける技術的な計算においてこのような複雑な制御機構や多種多様な演算回路を用意することが必要なのでしょうか？　これは取り扱うデータや手法に依存する話ではありますが、データサイエンスの多くの場面において**単純で独立性の高い、つまり並列性の高い計算を大規模データに対して実行する必要がある**といえます。このような場面では**オールマイティを指向するCPU よりも少数の処理に特化した計算補助装置や専用計算機**が有効となる場合が数多くあります。

　近年データサイエンスにおいて、よく利用される計算補助装置として **Graphics Processing Units（GPU）** があります。これは元来3次元 CG の高速描画のために発展してきた装置です。それがデータサイエンスで利用されるようになった理由は、3次元 CG においても並列性の高い単純計算が必要となるため、**GPU には単純な作業に特化した莫大な数の計算コアが搭載される**からです。このような設計はデータサイエンスにおけるニーズにも合致するため広く転用されているのです。

　さて GPU のような並列性の高いシステムは、ムーアの法則によりトランジスタの集積度が増えれば容易に性能が向上します。このようなムーアの法則との高い親和性がデータサイエンスにおいて GPU の利用が進む原動力であるといえるでしょう。

30秒でわかる！ ポイント

GPUとCPUの違い

GPU

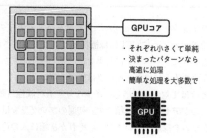

GPUコア

・それぞれ小さくて単純
・決まったパターンなら
　高速に処理
・簡単な処理を大多数で

CPU

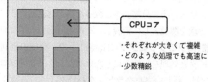

CPUコア

・それぞれ大きくて複雑
・どのような処理でも高速に
・少数精鋭

 ワンポイント解説！　並列性が高い計算とは？

別個に計算可能な複数の部分問題へ分解可能な計算のこと（例：ベクトル同士の内積など）。このような問題は部分問題ごとに個別のGPUコアへ割り振って計算することで、1度に全体の問題を解くことができます

3 プログラミングの基礎（1）

▶データサイエンスの基礎技術

01 プログラミングとは

　プログラミングとはコンピュータに命令を与える方法のことです。2章2節で述べたように、CPUは**機械語**という数値化された命令しか処理できません。右ページに簡単な機械語を示します。2進数で表現された命令をもとにコンピュータは処理を実行します。

　機械語とほぼ1対1に対応し、多少なりとも可読性（読みやすさ）に配慮したのが**アセンブリ言語**です。初期のプログラマはこうした言語でプログラムを構成していました。それが次第に人の可読性に配慮した**高級言語**へと改良されました。数式的記法に近づけたFORTRAN、初期の高級言語が使用していたGOTO文の難解さを解消し制御構文を「連接、反復、条件分岐」へと絞った**構造化言語**（C）などです。

　また、処理を関数として定義し、その組み合わせでプログラムを構成する**関数型プログラミング**（Haskell）や、機能の再利用性を促すためにデータと処理を一括りにしたオブジェクト指向プログラミング（Java）など、新しいプログラミングパラダイム（4章1節参照）の台頭とともにさまざまな言語が生み出されました。

　ヒューマンインターフェースに関してもさまざまな改良が行われました。一般的に**命令を機械に渡す前に必ず一度、機械が理解できる形式にまとめてから渡す言語をコンパイラ言語**と呼びます。しかし、結果を一々確認しながらでは、プログラミングの際に面倒です。その点を改善し、**逐次的に機械に与えた命令の結果を確認できるようにしたスクリプト言語**の登場も、初期からの発展と呼べます。

　ことほどさように**プログラミングの歴史**は、さまざまな理由を背景に発展してきたのです。

30秒でわかる！ ポイント

プログラミングの歴史

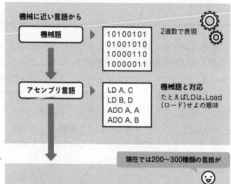

機械に近い言語から

| 機械語 | ▶ | 10100101
01001010
10000110
10000011 | 2進数で表現 |

アセンブリ言語 ▶ LD A, C
LD B, D
ADD A, A
ADD A, B

機械語と対応
たとえばLDは、Load（ロード）せよの意味

現在では200〜300種類の言語が

人間にわかりやすい言語へ

高級言語・構造化言語

手順書を基に上から実行

```
void main(){
    int a,b;
    scanf("%d",&a);
    scanf("%d",&b);
    int ans = a + b;
    printf("%d¥n",ans);
}
```

関数型言語

関数の組み合わせ

```
inc :: Int -> Int
inc= \x ->x+1
main = do
    print $ inc 5
```

オブジェクト指向

オブジェクトの組み合わせ

```
public class Test {
private Object[] Values;
private int Size;
...
```

オブジェクトとは、
データと処置を一括り
にしたものの意味

▶データサイエンスの基礎技術
02 | どの言語を使うか

　それではどの言語を使えばよいのでしょうか。一般的に**コンパイラ言語のほうがスクリプト言語より処理が速い**といわれます。これは毎回処理結果をすぐ確認できるようにするため、スクリプト語が余計な手順を含んでいるのに対し、コンパイラ言語は一度機械言語に変換してから無駄なく実行するものなので、直感的にも納得できると思います。ただしその反面コンパイラ言語のほうが難解なことも多く、初学者には向きません。また特定のプログラミングスタイルを追求しすぎている言語も初心者にとっては扱いづらいです。

　Scala、Julia、Go など、近年データサイエンス系の言語として脚光を浴びている言語は、特殊な書き方を覚えなければいけないことや、まだコミュニティが成熟していないため外部ライブラリ（外部リソース）が充実しておらず、分析結果を作図するなどのちょっとした処理でも一から書く必要があるという難点を抱えています。

　その点、初学者でも**簡単に書くことができ、外部ライブラリも充実しているという点で、Python と R がおすすめ**です。両言語ともJupyter や Rstudio などコードと出力結果をひとまとめで表示できるユーザーインターフェースが充実していることも魅力です。

　Python と R を比較すると Python のほうがいくぶんか難解で、統計的な外部ライブラリが少ないですが（逆に機械学習関連はPython のほうが多い）、基本的なプログラミングスタイルが学べるという点でもおすすめです。本書のこれ以降の説明もコードで説明する際は Python の記法に従うことにします。

30秒でわかる！ ポイント

プログラミング言語の種類

> 基本的なプログラミングスタイルが学べるのでおすすめ！ 本書でもコードで説明する際はPythonの記法に従うことにします

Python、R言語

扱いやすく
ライブラリも充実

コンパイラ言語

難解

発展的言語

外部ライブラリ
の不足

▶データサイエンスの基礎技術

03 | データ型と データ構造

プログラミングをすると、整数、実数、文字列、論理型（真か偽のみ）など、さまざまな型の変数（処理によって値が変わるオブジェクト）を用いることになります。変数の型のことをデータ型と呼びます。プログラミングではデータ型に合わない処理を実行することで思わぬ間違いが生じないように、データ型は一般に型を明示したほうがよく、実際、言語によってはコンパイルや実行する際に型のチェックを行うものもあります。

データ構造とは、変数をひとまとまりにしたものです。たとえば動物をあらわす単語を["cat", "dog", "platypus"]など順番を保持した一覧にしてみましょう。こうした順番を保持し、0、1、2番目などの**インデックスでアクセス可能な一覧のことを配列（Pythonではリスト）**と呼びます。配列ならば、2番目（Pythonでは0から数えるので1番目）と指定すると、"dog" と返却するなど、すぐ指定の単語にアクセスすることが可能です。

配列だけでは、ある要素が配列に含まれているかどうかを判断する際に、最初から最後まで配列の要素を確認しなければいけません。

そこで使用されるのが、**ハッシュテーブル（Pythonでは辞書）**と呼ばれるものです。ハッシュテーブルとは、要素が集合の中にあるかどうかを素早く判定できるようにつくられたデータ構造で、通常キー（要素）と値のペアを格納しているものです。

ほかにもデータフレームや行列演算に特化したベクトルや行列など、用途に応じてさまざまなデータ構造が定義されています。

30秒でわかる! ポイント

データ型とデータ構造の違い

> **データ型**　変数の型のこと
> 　　　　　例 整数、実数、文字列、論理型
>
> 思わぬエラーを避けるため
> プログラミングではデータ型は明示する

用途に応じて
正しいデータ型と
データ構造を
使い分ける

> **データ構造**　変数をひとまとまりに
> 　　　　　　したもののこと
> 　　　　　　例 配列、ハッシュテーブル
> 　　　　　　　 データフレーム行列
>
> 【配列】
> "cat"
> "dog"
> "platypus"

 ワンポイント解説!　ハッシュテーブルの実装法

ハッシュテーブルでは、ハッシュ関数と呼ばれる、要素を正数に変換する関数を定義し、配列のその正数の位置に値を格納することで、配列を上から下に走査する必要なく、要素→ハッシュ値（正数）→配列のハッシュ値の位置にある値を素早く呼び出すことが可能になっています

▶ データサイエンスの基礎技術

04 | 制御構文

3章1節で構造化言語の説明の際に言及した通り、現代のコード（プログラム）は基本的に制御構造（コードの流れ）を「**連接、反復、条件分岐**」へと絞っています。それぞれについて見ていきましょう。

連接とはその名の通り、処理1から処理2へと、**上から下にコードを実行**するものです。右ページのコード1に簡単な Python プログラムでこれを表現したものを掲載しておきます。これが最も基本的な構文になります。

反復とは、いわゆるループと呼ばれるもののことで、for 文や while 文という記述法を用いて書きます。たとえば右ページにあるコード2の最初のループと次のループは、同じように0から9までの数字を表示するプログラムです。

for 文と while 文の違いは、for 文のほうが最初にループ回数を定めているのに対して、while 文はループするたびに真偽を確かめ、それに従ってループするかどうか判定している点です。

条件分岐とはその名の通り、条件によって処理を変える操作です。たとえば、コード3は整数 i が負であれば正の値に直し、正の値であればそのまま何もしないという処理を表現しています。

この条件と反復処理を停止する break 文を用いることで、好きな位置で条件が成立した際にループを抜ける処理を書くこともできます。それがコード4の例です。0から始めて数を足していき総和が12以上になったらループを抜けるように書かれています。

驚くかもしれませんが、上記のシンプルな制御構文をうまく組み合わせるだけでほとんどのプログラミングは構成できます。

30秒でわかる！ ポイント

連接、反復、条件分岐とは？

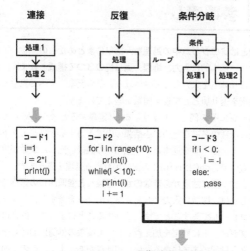

連接　　　　　反復　　　　　条件分岐

```
処理1
↓
処理2
```

```
処理 ← ループ
```

```
条件
↓    ↓
処理1  処理2
```

コード1
```
i=1
j = 2*i
print(j)
```

コード2
```
for i in range(10):
    print(i)
while(i < 10):
    print(i)
    i += 1
```

コード3
```
if i < 0:
    i = -i
else:
    pass
```

反復・条件分岐・break

コード4
```
cnt = 0
for i in range(10):
    cnt += i
    if(cnt > 11):
        break
```

ワンポイント解説！

i … 整数
j … i を2倍したもの
print … 結果の表示
for … 反復
while … 反復
if … 条件分岐
else … 条件分岐
pass … 何もしない
cnt … カウンター
range … 0から9までの数

▶データサイエンスの基礎技術

05 | 関数・値渡し・参照渡し

　関数とはプログラム中の処理を一括りにまとめたものです。

　関数は、基本的に**入力、処理、返り値**の３つで構成されます。たとえばあるリストを入力として受け取り、その要素をすべて表示し、最後の要素を返り値として返す関数を考えてみます。

　右ページにその例を示します。def（定義するという意味）と書いた直後に関数の名前を定め、小括弧の中で入力するオブジェクトを定めます。return（値を返すという意味）の直後に記した変数が返り値にするもので、def と return の間に実行する処理を書きます。

　関数を書く際に**注意が必要なのが、値渡しと参照渡しの区別**です。

　値渡しとは、関数に入力としてオブジェクトを渡す際に、オブジェクトをコピーして渡すことです。こうすることによって、関数の中でそのオブジェクトに変更を加えたとしても関数の外側におけるそのオブジェクトは元のままになるという利便性があります。その反面、関数を呼び出すたびに同じオブジェクトをコピーして渡すため占有するメモリ領域もコピーしたオブジェクトの分増えます。つまり大きなオブジェクトを入力として渡す際には無駄が大きいです。

　一方、**参照渡しでは、入力に渡したオブジェクトはコピーが作成されず**、そのまま（正確にはメモリのどこにそのオブジェクトが記録されているのかの情報が）渡されることになります。参照渡しのデメリットは、入力したオブジェクトを関数の中でうっかり変更してしまうと関数の外でもそのオブジェクトが変更される**副作用**という現象により、ミスが生じやすくなることです。Python では参照渡しが基本となっており、値渡しの際には copy という外部ライブラリを用います。

30秒でわかる！ ポイント

値渡しと参照渡しの違い

関数定義(defとreturnの間に処理を書く)

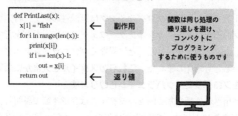

```
def PrintLast(x):
    x[1] = "fish"              ← 副作用
    for i in range(len(x)):
        print(x[i])
        if i == len(x)-1:
            out = x[i]
    return out                 ← 返り値
```

関数は同じ処理の
繰り返しを避け、
コンパクトに
プログラミング
するために使うものです

値渡し … オブジェクトをコピーして渡すこと

```
import copy
S = ["dog","cat","camel","platypus"]
PrintLast(copy.copy(S))
```

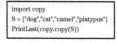

実行後もSの値は変わらない

参照渡し … オブジェクトのコピーは作成されない

```
S = ["dog","cat","camel","platypus"]
PrintLast(S)
```

**Sそのものが["dog","fish","camel","platypus"]と
変更されてしまう**

▶ データサイエンスの基礎技術

01 | プログラミング パラダイムとは

　3章1節で見た通り、プログラミングは可読性の向上、特定プログラミングの追求、ヒューマンインターフェースの向上などを背景に発展しました。その結果、言語ごとに異なるプログラミングスタイルを備えているとも紹介しました。**これらのスタイルを大まかに類型化したものをプログラミングパラダイムと呼びます。**

　現在利用される最も基礎的なパラダイムは3章4節で説明した**構造化プログラミング**です。構造化プログラミングを一言で説明すれば「まずデータをロードして、次に値を2倍して、次にその結果を返す」など一連の手順を並べて記述する手続き型言語と呼ばれるものの一種で、その上でさらに制御構文を「**連接、反復、条件分岐**」（3章4節参照）とパターン化したものです。制御構文をうまく組み合わせるだけでほとんどのプログラムが構成できるのは3章4節で見た通りです。また構造化された制御構文によりナイーブな手続き型プログラミングよりも処理の記述が一段階抽象化されることで、より少ない記述量で同等の処理を記述できることも大きな利点だといえます。記述量が少なくなれば、プログラムの構築とメンテナンスのコストの両方を削減することができます。構造化言語が広く受け入れられた背景にはこれらの利便性があげられます。

　さて、構造化プログラミングが登場した1970年代からすでに50年近い年月が経つ中で、さらに洗練されたプログラミングパラダイムが発展してきています。これより2節にわたり、これらのうちデータサイエンスにおいて特に重要なものとして、**関数型プログラミング**と**オブジェクト指向型プログラミング**を説明します。

30秒でわかる！ ポイント

プログラミングパラダイム

| プログラミング
パラダイム | … | 各言語の
プログラミングスタイルを
いくつかに類型化したもの |

↓ 現在の
スタンダード

構造化プログラミング

- **オブジェクト指向**
  - python
  - Java
  - julia
  - Scala
  - C++

- **関数型**
  - Scala
  - 入=
  - R

新しいものも
誕生している

 データサイエンスで利用される多くの言語はオブジェクト指向言語です。そのうちの多数（C++、Java）が関数型に近づいてきています

▶データサイエンスの基礎技術

02 関数型プログラミング

　3章5節では構造化プログラミングの文脈で処理をひとまとめにしたものを関数として紹介しました。そこでは処理全体の流れを決める主役は制御構文であり、関数は構文へ部分的に埋め込まれていました。また関数を適切に定義すると、見通しよくプログラミングすることが可能になりました。

　関数型プログラミングとは関数利用の恩恵を最大限活かすために、**制御構文などをすべて関数で置き換えてしまい、データと関数のみでプログラムを完結させる**ようなプログラミングスタイルです。構造化プログラミングを含む手続き型プログラミングでは、制御構文や関数の組み合わせでデータを処理する方法を記述しました。それに代わり、関数型プログラミングでは関数を受け取って別の関数へ変換する関数を定義するなど、**関数を組み合わせる方法を記述することに重点がおかれます**。これにより手続き型プログラミングよりも抽象度と記述性の高いプログラミングが可能です。

　関数型プログラミングに特化した言語の代表例としては Haskell があります。また次節で述べるオブジェクト指向も取り入れた **Scala** はデータサイエンス分野で特に注目を集めています。これらの言語では型チェックや遅延評価など便利な機能が利用できます。また Python においても itertool や functool などのライブラリを活用しつつ自身で気をつけることで関数型プログラミングをある程度取り入れることができます。

　大規模データの取り扱いをスマートに記述するため、**関数型プログラミングが占める役割は今後ますます大きくなっていくでしょう。**

30秒でわかる！ ポイント

関数型プログラミングのつくり方

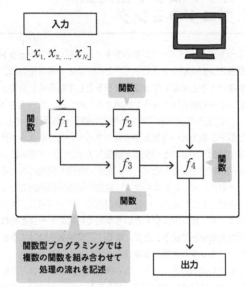

入力

$$[x_1, x_2, ..., x_N]$$

関数

関数

関数 f_1 → f_2

f_3 → f_4 関数

関数

関数型プログラミングでは
複数の関数を組み合わせて
処理の流れを記述

出力

$$[y_1, y_2, ..., y_N]$$

 関数型プログラミングの考え方

● 関数を受け取る関数（高階関数）
● 副作用（３章５節を参照）の回避
● 遅延評価
● 型チェック

4 プログラミングの基礎（2）

▶データサイエンスの基礎技術

03 | オブジェクト指向型 プログラミング

もう1つ重要なプログラミングパラダイムとして**オブジェクト指向型プログラミング**を紹介しましょう。この中心となる考え方は、**データと関数をひとまとめにしてオブジェクトとして扱う**ことです。

オブジェクト指向のメリットを実感するためには、自動車などがどのようにして設計・製造されているかを思い浮かべるとよいでしょう。自動車は数千、数万という部品から成り立っていて、それらが仕様に従って適切に動作することで全体が機能します。プログラムにおける部品は各部の状態を記述したデータ、部品の動作や機能にあたるものが関数だといえます。自動車の場合、動作や機能は部品固有のものです（たとえば、ドア：開閉、ハンドル：回転、ギア：駆動）。オブジェクト指向により、**オブジェクトという単位で特有のデータとそれに特化した関数をセットで扱うことで、まるで工業製品を設計するかのようにプログラミングが可能となる**のです。

オブジェクト指向のメリットをより直感的に感じるには、自動車のシミュレータープログラムを想像してみましょう。オブジェクト指向を利用すれば、自動車の各パーツに対応したオブジェクトをつくり、その相互作用や組み合わせで全体を動作させることで、見通しのよい開発ができます。逆にオブジェクト指向を利用しなければ、無秩序に並んだ莫大なデータと関数を前に大きな混乱を伴うことでしょう。

Pythonは、C++やJavaなどと並んでオブジェクト指向言語の代表例です。データサイエンスにおいてもモデルやデータの記述にオブジェクト指向が利用されています。特に次節で紹介するライブラリのほとんどがオブジェクト指向にもとづくものとなります。

30秒でわかる！ ポイント

オブジェクト指向を自動車にたとえると？

プログラムというと何やらむずかしく聞こえますが、
工業製品という意味では自動車などと
根本的には変わりません。

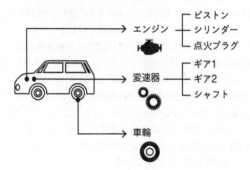

エンジン ── ピストン
　　　　　── シリンダー
　　　　　── 点火プラグ

変速器 ── ギア1
　　　　── ギア2
　　　　── シャフト

車輪

- 工業製品はたくさんの部品から成っている
- 仕様に従っているから組み合わせできる
- オブジェクト指向も同様、多数のパーツの組み合わせでプログラムをつくる
- 既存のパーツを再利用
- 見通しが立てやすい

オブジェクト指向プログラムはSimulaという
シミュレーションに特化した言語に起源があります

▶データサイエンスの基礎技術

04 | ライブラリの利用について

　プログラム構築には多くの場合において**ライブラリ**や**パッケージ**などと呼ばれる、既存の汎用的なコードをまとめたものを活用することで労力を省くことができます。いくつか見ていきましょう。

　すべての基礎となる線形演算を含む基礎的な数値計算に関しては、**Numpy** および **SciPy** が代表的です。これから紹介する機械学習ライブラリなどでも内部ではそれらに依存していることが多いです。

　グラフ描画には **matplotlib** や **seaborn** と呼ばれるライブラリが利用できます。これは Jupyter との組み合わせでインタラクティブなグラフ描画が可能となるため、非常に有用となります。また **NetworkX** と呼ばれるパッケージを利用すれば、ネットワークデータ（16章）を簡単に表示することができます。

　データの読み込みや前処理には **Pandas** と呼ばれるライブラリが非常に有用です。これは xls や csv など非常に多くのフォーマットからのデータ読み込みをサポートしています。

　前処理を終えたデータに高度な機械学習を適用する際にもライブラリが利用可能です。その代表的なものが **scikit-learn** と呼ばれるもので、線形分類機やサポートベクターマシン（13章）、ランダムフォレスト（12章）といった多くの機械学習モデルが利用可能です。またトピックモデル（15章）に関しては **gensim** と呼ばれるライブラリがあります。これは文章コーパス（大量の文章群）の読み込みから、LDA を代表とするトピックモデルを利用した分析を行うことができます。深層学習に関しては GPU を利用した数値計算も可能な **TensorFlow** や **PyTorch** があります。

30秒でわかる！ ポイント

どのライブラリを使えばよいのか

既存の 汎用的なコードをまとめたものを活用することで労力を省くことができる！

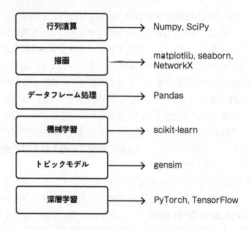

行列演算	→ Numpy, SciPy
描画	→ matplotlib, seaborn, NetworkX
データフレーム処理	→ Pandas
機械学習	→ scikit-learn
トピックモデル	→ gensim
深層学習	→ PyTorch, TensorFlow

むろん実際の利用する場面では必要であれば、ライブラリを適宜拡張（改造）してもよいでしょう。この場合にはオブジェクト指向に関する知識が役に立ちます

④ プログラミングの基礎（2）

05 ▶ データサイエンスの基礎技術
バージョン管理
システム

　ここで**バージョン管理システム**について少し説明しましょう。中規模のプログラムであっても通常は複数のファイルによって構成されるため、その管理を直接行うことはむずかしくなります。特にあとからバグが見つかって以前のコードに戻したいといったとき、エディタのUndo機能では限界があります。このようなニーズに応えるのがバージョン管理システムです。古典的にはCVSやSVNといったものが知られていますが、近年広く受け入れられているものには、**Git**があります。これらのバージョン管理システムの導入は個人でのプログラム開発においても有用ですが、**多人数の開発での導入はもはや必須で**あるといってもよいでしょう。

　Gitを利用してプログラムの管理を行う場合、インターネット上でのコードの管理や共有も簡単に行えます。このためのオンラインサービスが**Github**や**Bitbucket**といったものです。これらはライブラリの公開にも利用されているため、高い利用価値があります。もし既存のライブラリに満足のいくアルゴリズムがない場合、自らの手で開発する必要が出てきます。その結果作成したコードをライブラリ化するのは詳細な説明を用意する必要があり、なかなか手間な作業になります。そのため実際の開発者は簡潔な説明とともに、GithubやBitbucketで開発したものを公開することが多いです。

　最後になりますが、プログラミングにおける技術的な問題解決には**Stack Overflow**に代表されるインターネット上の質問掲示板が非常に有効です。これは英語での情報となりますが、9割5分の問題はここで解決できるといってもよいでしょう。

30秒でわかる！ ポイント

Gitを利用したプログラム管理とは

バージョン管理システム	… 開発作業中のバックアップと修正を楽にするためのもの

自ら開発したコードをライブラリ化するのは
詳細な説明を用意するのが大変

そこで

多くの開発者は
GithubやBitbucketに
開発したものを
掲載している

Git を利用してプログラムの管理をする場合に、コードの管理や共有を行うためのオンラインサービスです。ライブラリの公開にも利用されているので利用価値大！

 プログラミングでわからないことがあれば
Stack Overflow（ネット上の質問掲示板）を
活用しよう！

参考リンク

Github: https://github.com
Bitbucket: https://bitbucket.org/
Stack Overflow: https://stackoverflow.com/

▶ データサイエンスの基礎技術
01 アルゴリズムとは

　これまでわれわれは計算機とプログラミングについて学んできました。それではプログラムには何を書けばいいのでしょうか？　本書ではデータ処理やデータ分析の際に生じる手順になります。

　一般的に問題を解くための手順のことを**アルゴリズム**と呼びます。たとえば、ランダムにシャッフルされているトランプのスペードのカードを昇順に（1から13まで）並び替えるとしましょう。みなさんならどうしますか？

　トランプを再度ランダムにシャッフルし、偶然綺麗に昇順に並ぶまでそれを繰り返しますか（これを**ボゴソート**といいます）？　それとも順番に2枚のカードを引き、その2枚が降順になっていたら昇順に並び替えて戻し、そうでないならそのまま元の位置に戻すという手順を繰り返しますか（**バブルソート**）？　カードを1枚ずつテーブルに置き、テーブルに置いてあるカードが必ず綺麗に昇順になるように新たにカードを配置していく方法もあるでしょう（**インサーションソート**）。あるいは、13枚あるカードを2枚ずつ7組（1つだけ1枚の組があります）に分け、それぞれの組を昇順に並べ、今度は2組ずつ選びその4枚のカードが昇順になるように結合していく手もありますね（**マージソート**）。カードを適当に1列に並べ、ある数を基準にそれよりも大きいものが右側にくるように、それより小さいものが左側にくるようにスワップする動作を繰り返すやり方も考えられます（**クイックソート**）。

　このように1つの問題に対しても、さまざまな解決法があります。それでは一体どれを選べばいいのでしょうか？

30秒でわかる! ポイント

プログラムにはアルゴリズムが必要

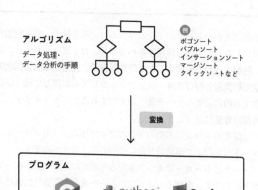

アルゴリズム

データ処理・
データ分析の手順

例
ボゴソート
バブルソート
インサーションソート
マージソート
クイックソートなど

変換

プログラム

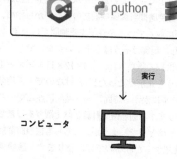

実行

コンピュータ

▶ データサイエンスの基礎技術

02 | 時間計算量

　直感的にもわかる通り、アルゴリズムは「最も速く、最も記憶領域を無駄にしない」方法を採用するべきです。コンピュータサイエンスでは、**処理にかかる時間のことを時間計算量、使用する記憶領域のことを空間計算量**と呼びます。統計的アルゴリズムに関しては「安定して学習するのに必要なデータ量」を気にすることもありますが、ここでは時間計算量に注目しましょう。

　まずは前節のトランプの例の2つのアルゴリズム（ボゴソート、バブルソート）を用いて時間計算量について少し考えてみます。

　ボゴソートはポーカーでカードを配った瞬間に上がり手が揃っている状況と同じです。要はよく並んでいる一か八かの可能性に賭けるものです。**ボゴソートの最良時間計算量**は最初のカードから始め、残りの12枚のカードが昇順に並んでいるか確認する時間だけです（13−1 =12ステップ）。しかし、現実はそうはうまくいかないでしょう。13枚のトランプの並び方は13の階乗（13! = 13×12×11×10×〜1 =62億）分だけあり、そのうち正解はたった1つだけなので、平均時間計算量は13! ×（シャッフルにかかる時間）×（昇順に並んでいるか確認する平均時間）になります。**最悪時間計算量は上限がありません。**

　それではバブルソートはどうでしょうか。こちらも**最良時間計算量**はカードの並び順を確認するだけなので12になります。**最悪時間計算量は13×（13−1）／2回分のスワップをする時間**になります。平均時間計算量の計算の詳細は省きますが最悪時間計算量同様13×（13−1）に比例することは直感的にわかるでしょう。

　このように**最良、平均、最悪時間計算量を見ることで評価します。**

30秒でわかる! ポイント

よいアルゴリズムとは

速くて
（時間計算量）

省スペース
（空間計算量）なもの

記憶領域

**最良、平均、最悪時間（空間）計算量を
考慮して評価する**

⑤ **アルゴリズム（1）**

▶ **データサイエンスの基礎技術**

03 | **Ｏ－記法**

　計算量を評価する際には、一般的にＯ－記法（漸近記法）を用います。

　Ｏ－記法のキモは計算量を近似的に評価することです。これにより、数学的に詳細に分析することがむずかしい**アルゴリズムの評価も可能になります**。Ｏ－記法は次の数式で定義されます。

$$f(n) = O(g(n)) \Leftrightarrow |f(n)| \leq M|g(n)|, \ \forall n \geq n_0, \exists M > 0$$

　ここで n は問題の大きさをあらわす量（前項の例ではトランプの枚数）、$f(n)$ は計算時間、$g(n)$ は**計算時間を上限近似する簡単な関数**、M は正数で n_0 は実数です（∀は「すべての」、∃は「ある」を意味します）。

　要するに**厳密な違いは無視して計算時間の増加をいくつかのパターンに分類する**のがＯ－記法のミソです。そして近似関数の $g(n)$ は $f(n)$ を簡単に表現するための関数なので単純なものを用います。一般的には $g(n) = 1, n, n\log n, n^2, 2^n, n!$ などの関数型を利用します。それぞれ定数（$O(1)$）、線形（$O(n)$）、準線形（$O(n\log n)$）、二乗（$O(n^2)$）、指数（$O(2^n)$）、階乗（$O(n!)$）と呼びます。

　前項のバブルソートの最良時間計算量は、カードの枚数 n に対して線形（$O(n)$）時間です。最悪時間計算量は二乗（$O(n^2)$）になります。Ｏ－記法はあくまで近似なのでここでは平均時間計算量も二乗（$O(n^2)$）になります。それに比べボゴソートの場合最良時間計算量こそ線形（$O(n)$）ですが平均時間計算量は階乗（$O((n+1)!)$）であり、Ｏ－記法でも非常に計算量が多いことがわかります。

| 30秒でわかる！ ポイント |

O-記法による計算量の評価

計算量の増えるスピードは全然違う

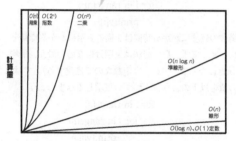

問題のサイズ

➡ 本文の例でいうならトランプの枚数

出典:http://bigocheatsheet.com

問題のサイズに対して計算量が増大していく様子をあらわした図です。たとえば線形であれば問題のサイズが10から20になった場合、計算量も10から20になります。それに対して二乗の場合100から400になります

⑤ アルゴリズム（1）

▶ データサイエンスの基礎技術

04 初等的な 計算量の計算

　O−記法で計算量を評価する練習をしましょう。**長さ n のベクトル
の値を for 文で1つずつ表示するプログラム**を考えてみてください。

```
for i in range(n):
    print(v[i])
```

この場合の処理にかかる時間は1回の表示にかかる時間を t_{print} とす
ると、$t_{print} \times n$ です。O−記法は上限近似なので最良、平均、最悪と
もに $O(n)$ になります（t_{print} は定数なので無視する）。では長さ $n \times n$
の行列の値を以下のように1つずつ表示してみましょう。

```
for i in range(n):
    for j in range(n):
        print(v[i,j])
```

この場合は $O(n^2)$ です。ループの中で命令が起きる場合は掛け算
になることがポイントです。

　次に簡単なサーチ（探索）のアルゴリズムを考えましょう。昇順に
ソート済みの単語のリストがあるとします。この中から目的の単語が
何番目にあるか探します。まず真ん中の単語と目的の単語を比較し、
目的の単語のほうが後ならば後半部分を残します。次にその後半部分
でちょうど真ん中にある単語と比較し、また前半か後半を残すという
方法を繰り返します。これを**二部探索**といいます。

　1度の操作のたびに残る要素数が半分になることに注目すれば、8
枚のカードでは8が4になり2になり1となると3回で目的のカード
が見つかります。全体を2分割できる回数は対数 $\log_2 x$ で計算できる
ので、時間計算量は平均も最悪も $\log_2(n)$ になります。

30秒でわかる！ ポイント

ベクトル・行列と二部探索

ベクトル
1つずつ表示 $O(n)$

$$\begin{bmatrix} 3 \\ 2 \\ 4 \\ \cdots \\ 5 \end{bmatrix}$$

行列
1つずつ表示 $O(n^2)$

$$\begin{pmatrix} 0 & 1 & \cdots & 2 \\ 3 & 4 & \cdots & 5 \\ & \cdots & & \\ 6 & 7 & \cdots & 8 \end{pmatrix}$$

Platypusという単語を探す

1. Cat
2. Dog
3. Duck
4. Pig
5. Platypus
6. Whale
7. Zebra

➡

5. Platypus
6. Whale
7. Zebra

➡

5. Platypus

Platypusは
Pigより後

Platypusは
Whaleより前

よって2回で見つかる

 ワンポイント解説！ 対数

Aという数字を何乗すればBという数字になるかをあらわす数のことを対数といいます。本文に登場した$\log_2 x$とは、xが2を何回掛け合わせたものであるかを示しています

5 アルゴリズム（1）

▶データサイエンスの基礎技術

05 | データ構造の 計算量

　3章3節で見た**配列とハッシュテーブルの中に、ある要素が含まれるかどうか判定するアルゴリズムの時間計算量**を考えてみましょう。たとえば氏名、出身地が書かれている表Aに、氏名と年齢が書かれている表Bのデータを結合する状況を想定してください（右ページ参照）。表Aは、2つの配列に氏名と出身地が並んで記録されているものとします。表Bのデータを配列なら2つの配列として並べて格納し、ハッシュテーブルならキーを氏名、バリューを年齢として格納するものとします。また表Aの長さはm、表Bの長さはnとします。

　表Aの最初の氏名が配列のどこにあるのか判定してみましょう。配列の場合、トランプの例と同じく、平均時間計算量は$O(n)$になります（O-記法は上限近似なのを思い出してください）。

　それに対してハッシュテーブルの場合、3章3節で説明した通り、定義したハッシュ関数に要素となる文字列を代入すれば、代入にかかる時間だけでどこにその要素があるか判定できます。つまり時間計算量は基本的に定数時間$O(1)$です。つまり**配列とハッシュテーブルでは、圧倒的にハッシュテーブルのほうがアクセスが速い**です。

　この洞察をもとに最初の例に戻ってみましょう。表Aの長さはm、表Bの長さはnなので、配列の場合、2つの表を結合するのにかかる時間計算量は$O(mn)$になります。それに対してハッシュテーブルの場合$O(m)$だけになります。仮にmとnの長さがどちらも10^6だとすると、配列なら10^{12}（仮に1操作にかかる時間を秒とすると約3万年）、ハッシュテーブルなら10^6（約11日）と、ハッシュテーブルを用いたほうが圧倒的に速いことがわかります。

30秒でわかる！ ポイント

配列とハッシュテーブルではどちらが速い？

表Bをうまくデータ構造に格納し表AとBを結合する

配列 → 2つの配列として並べて格納
ハッシュテーブル → キーを氏名、値を年齢として格納

表A

氏名	出身地
田中太郎	東京
山田壮一	山梨
鴨橋尾	新潟
出田彩子	東京

長さm

表B

氏名	年齢
鴨橋尾	14
出田彩子	21
田中太郎	34
山田壮一	29

長さn

氏名	出身地	出身地
田中太郎	東京	34
山田壮一	山梨	29
鴨橋尾	新潟	14
出田彩子	東京	21

時間計算量はどちらが少ない？

配列 → 時間計算量は$O(mn)$
ハッシュテーブル → 時間計算量は$O(m)$

ハッシュテーブルのほうが圧倒的に速い

6 アルゴリズム（2）

▶ データサイエンスの基礎技術

01 インサーションソートの時間計算量

5章1節で紹介したソートアルゴリズムのうち、ここではまずインサーションソートの時間計算量を考えてみましょう。

インサーションソートとは、必ず昇順になるようにカードを1枚ずつ追加して配置していく方法です。Pythonコードで書くと右ページのようになります。Pythonコードなので0番目から数えていることに注意してください。

コードを解説します。最初のカードは0番目に配置します。次のカードは0番目のカードと比較して、それよりも大きいなら1番目に配置し、そうでなければ0番目のカードを1つ右にずらして代わりに配置します。さらに次のカードは、まず1番目のカードと比較して、それよりも大きいなら2番目に配置してwhile文を終了し、そうでないなら0番目のカードと比較して配置を決めます。あとは同様に進めます。

一見複雑なプログラムに見えますが、時間計算量の大半は**ループ①と書いたfor文とループ②と書いたwhile文の掛け合わせで生じていること**がわかると思います。

2枚目のカードからn番目のカードまでを、最悪の状況でもそれぞれ$1, 2, 3, \cdots n-1$回カードを右にずらすことになるので、計算量は$\frac{n(n-1)}{2} = \frac{n^2}{2} - \frac{n}{2} \sim O(n^2)$になり最悪時間計算量は$O(n^2)$になります。平均時間計算量も同様に$O(n^2)$になります。最良時間計算量はカードがすでにソート済みでwhile文に一切入らない状況のときに実現され、この際の時間計算量は$n-1 \sim O(n)$になります。

30秒でわかる! ポイント

カードを昇順に並べる

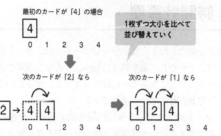

最初のカードが「4」の場合

```
4
0 1 2 3 4
```

1枚ずつ大小を比べて
並び替えていく

次のカードが「2」なら

```
2 → 4 4
0 1 2 3 4
```

次のカードが「1」なら

```
1 2 4
0 1 2 3 4
```

インサーションソートのコード

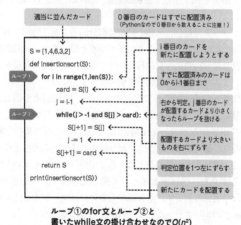

適当に並んだカード

0番目のカードはすでに配置済み
(Pythonなので0番目から数えることに注意!)

```
S = [1,4,6,3,2]
def insertionsort(S):
    for i in range(1,len(S)):
        card = S[i]
        j = i-1
        while(j > -1 and S[j] > card):
            S[j+1] = S[j]
            j -= 1
        S[j+1] = card
    return S
print(insertionsort(S))
```

ループ1

ループ2

i番目のカードを
新たに配置しようとする

すでに配置済みのカードは
0から-1番目まで

右から判定。j番目のカード
が配置するカードより小さく
なったらループを抜ける

配置するカードより大きい
ものを右にずらす

判定位置を1つ左にずらす

新たにカードを配置する

ループ①のfor文とループ②と
書いたwhile文の掛け合わせなので$O(n^2)$

▶データサイエンスの基礎技術

02 マージソートの 時間計算量

　5章1節で紹介したように、マージソートとは、カードを2枚ずつの組に分け、それぞれの組を昇順に並べ、今度は2組ずつ選び、その4枚のカードが昇順になるように結合（マージ）するという動作を繰り返すことで並び替えていく手法です。

　マージソートのように、全体の問題を部分問題に分割し（13枚のカードを並び替えるという問題を2枚のカードを並び替えるという問題に分割）、その部分問題に答えを出してそれを最終的に統合していくことで解答を出す手法を**分割統治法**（Divide and Conquer）と呼びます。

　マージソートの場合、全体の問題は部分問題を解く時間と統合していく時間の和になっていることに気がつくと思います。一般的にはこうした計算量の再帰的性質に目をつけて数学的に時間計算量を評価しますが、ここでは直感的な説明を試みてみましょう。

　まず関数 mergesort の中で問題を S[:mid]、S[mid:] と分割し、その部分問題に対して mergesort という関数を呼び出しています。再帰的に呼び出される mergesort 関数は、if 文のところで条件分岐させている通り、長さが1になるまで繰り返されます。このちょうど真ん中のところでリストを長さが1になるまで分割していくという処理は5章4節で見た二部探索とまったく同じ処理です。つまり $\log_2(n)$ 回の操作で実行可能です。計算量が大きいのはマージする際に発生する while 文のループで、これは $O(n)$ で近似できます。

　ことほどさように**マージソートは2分割とループの掛け合わせで計算でき、時間計算量は $O(n\log(n))$ の準線形**（5章3節）となります。

30秒でわかる！ ポイント

カードを2枚ずつ並べる

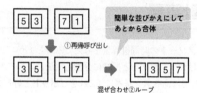

| 5 | 3 | | 7 | 1 |

簡単な並びかえにして
あとから合体

①再帰呼び出し

| 3 | 5 | | 1 | 7 |　➡　| 1 | 3 | 5 | 7 |

混ぜ合わせ②ループ

マージソートのコード

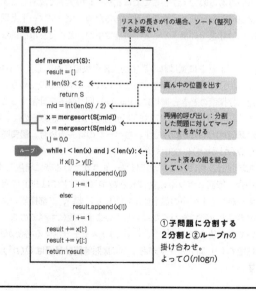

問題を分割！

リストの長さが1の場合、ソート（整列）
する必要ない

```
def mergesort(S):
    result = []
    if len(S) < 2:
        return S
    mid = int(len(S) / 2)
    x = mergesort(S[:mid])
    y = mergesort(S[mid:])
    i,j = 0,0
    while i < len(x) and j < len(y):
        if x[i] > y[j]:
            result.append(y[j])
            j += 1
        else:
            result.append(x[i])
            i += 1
    result += x[i:]
    result += y[j:]
    return result
```

ループ

真ん中の位置を出す

再帰的呼び出し：分割
した問題に対してマージ
ソートをかける

ソート済みの組を結合
していく

①子問題に分割する
2分割と②ループnの
掛け合わせ。
よって$O(n \log n)$

03 ▶ データサイエンスの基礎技術
クイックソートの時間計算量

　ここではクイックソートの時間計算量を考えてみましょう。

　クイックソートはマージソートと同様に分割統治法によるアルゴリズムです。内容としてはある数を基準に（これを**ピボット**と呼びます）それよりも大きいものが右側に、それより小さいものが左側にくるようにスワップする動作を繰り返すことでソートするものです。実装法はいろいろあるのですが、ここでは右ページの実装で説明します。クイックソートも分割統治法の一種であるため、マージソートと同様に数学的に計算量を評価することも可能ですが、ここでも直感的な説明を試みます。

　まず、ピボットに選ばれる数字が大体中央値に対応している場合、ちょうど半分にリストを分割することになります。そのため5章4節で見た二分探索のときと同様に、$\log_2(n)$ 回リストを分割することになります。1回分割するごとに $O(n)$ 回分ループがあるので、**平均時間計算量は $O(n \log n)$** です。右ページの実装の場合、**最良時間計算量も $O(n \log n)$** になります。

　最悪時間計算量はリストがほぼソートされている時に発生します。この場合、毎回ピボットに選ばれる数字（コードでは S[0] で選んでいます）がリストの中の最小値に対応してしまい、二部探索のように綺麗に半分で分割できなくなってしまいます。仮にすべてのステップにおいて最小値を選んだ場合、$n-2$ 回リストを分割する必要があり、その都度 $O(n)$ 回分ループがあるので**最悪時間計算量は $O(n^2)$** になります。

30秒でわかる！ ポイント

クイックソートのコード

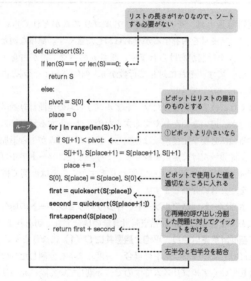

リストの長さが1か0なので、ソートする必要がない

```
def quicksort(S):
    if len(S)==1 or len(S)==0:
        return S
    else:
        pivot = S[0]
        place = 0
        for j in range(len(S)-1):
            if S[j+1] < pivot:
                S[j+1], S[place+1] = S[place+1], S[j+1]
                place += 1
        S[0], S[place] = S[place], S[0]
        first = quicksort(S[:place])
        second = quicksort(S[place+1:])
        first.append(S[place])
        return first + second
```

ループ

ピボットはリストの最初のものとする

①ピボットより小さいなら

ピボットで使用した値を適切なところに入れる

②再帰的呼び出し：分割した問題に対してクイックソートをかける

左半分と右半分を結合

平均時間計算では②子問題に分割する2分割と①ループnのかけあわせ。
よって$O(n\log n)$。
平均時間計算と最悪時間計算に差が出る

▶データサイエンスの基礎技術
04 │ 空間計算量

　空間計算量とは、その名の通りアルゴリズムがどれくらいコンピュータのメモリを占有するかをあらわした量です。簡単な例としてはベクトルや行列があげられます。長さnのベクトルが占有する領域は$O(n)$です。それに対して行数がn、列数がmの行列の占有する領域は$O(nm)$です。

　それではこれまで見てきたソートアルゴリズムの空間計算量はどうでしょうか。違いをわかりやすくするため、ソートする元のリストを保持するのに必要な記憶領域は無視し、アルゴリズムが生む追加的に必要な記憶領域だけに焦点を絞りましょう。また、ソートアルゴリズムの空間計算量は実装によって変わりますがここでは前節で書いたコードをベースに評価します。

　まず**ボゴソート、バブルソート、インサーションソート**の場合、追加的に必要な記憶領域は最悪空間計算量の場合でも一切ありません。よって**空間計算量は最良、平均、最悪共に$O(1)$**になります。

　それに対してマージソートの場合、一度リストを分割したものを再度結合していくアルゴリズムですので、分割していく際に元のリストと同じ長さの記憶領域が追加的に必要になります。よって**空間計算量は最良、平均、最悪共に$O(n)$**になります。

　クイックソートの場合も前項で実装した例の場合$O(n)$になります。ただし、クイックソートに関してはあくまでも本書の中での実装法に関するもので、手の込んだ実装法を用いると$O(log(n))$まで落とせることは有名です。このように**空間計算量もアルゴリズムによって異なる**ことがわかります。

30秒でわかる！ポイント

ソートアルゴリズムによる空間計算量

時間計算量 … アルゴリズムの実行時間
空間計算量 … メモリをどれだけ占有するか

ソートアルゴリズムによって
追加的に必要となるメモリは異なる

ボゴソート バブルソート インサーションソート	マージソート クイックソート

↓ ↓

追加的に必要な記憶領域
なし

リストを分割していく際に、
元のリストと同じ長さの
記憶領域が追加的に必要

↓ ↓

最良、平均、最悪空間計算量

↓ ↓

$O(1)$ $O(n)$

▶ データサイエンスの基礎技術

05 | ソートアルゴリズム まとめ

　これまでアルゴリズムの基本やO−記法から始め各種ソートアルゴリズムの時間計算量と空間計算量を見てきました。右ページにこれまで実装してきたソートアルゴリズムの時間計算量と空間計算量をまとめて記載しておきます。

　この表で見ると、マージソートのほうがクイックソートよりもよいように見えます。しかし、マージソートとクイックソートの場合、実際はクイックソートのほうが望まれることが多いです。その理由は、6章3節で見たように、クイックソートの計算時間が最悪計算量に近づくのは、ピボットを選ぶ際に配列の中で常に最小値に近い数字を選ぶという特殊な状況だからです。この条件を回避するのは比較的容易で、実用上はほぼ $O(nlogn)$ で実行できるからという理由があげられます。また、本書の実装例では空間計算量は $O(n)$ でしたが、これは賢く実装することで $O(logn)$ に減らせます。この2点がマージソートよりもクイックソートが好まれる理由としてあげられる点です。

　繰り返しになりますが、**O−記法をベースにした評価は大雑把にアルゴリズムの計算量を分類するもの**で、実際は状況によって好まれるアルゴリズムは多少異なります。しかし、そうであったとしても階乗や指数よりは準線形のほうが望ましいのは自明です。計算量の目安としてO−記法がうまく機能していることがわかります。

　データ分析をする上でさまざまなデータ構造やアルゴリズムにふれることになります。最初はあまり計算量は意識せずコーディングするのが楽でよいのですが、**計算量の壁にぶつかった際はぜひ計算量の概念を思い出し、コーディングを修正するようにしてください。**

30秒でわかる！ ポイント

ソートアルゴリズムの時間計算量と空間計算量

	最良 時間計算量	平均 時間計算量	最悪 時間計算量	空間計算量
ボゴソート	$O(n)$	$O((n+1)!)$	$O((n+1)!)$	$O(1)$
バブルソート	$O(n)$	$O(n^2)$	$O(n^2)$	$O(1)$
インサーション ソート	$O(n)$	$O(n^2)$	$O(n^2)$	$O(1)$
マージソート	$O(n\log n)$	$O(n\log n)$	$O(n\log n)$	$O(n)$
クイック ソート	$O(n\log n)$	$O(n\log n)$	$O(n^2)$	$O(n)$★

★ 本書実装の場合です。$O(\log(n))$のときもあります

O－記法は大雑把に計算量をまとめるもの。たとえば、表を見ると、マージソートがよさそうですが、実際はクイックソートが好まれるなど、状況によって好まれるアルゴリズムは異なります

▶データサイエンスの基礎技術
01 | データベースとは

　個人レベルでデータを管理し分析するだけならデータベースは必要ありません。テキストファイルや直列化（コンピュータがロードしやすい形に変換）されたファイルを管理するだけで十分です。

　しかし、複数人数で同じデータを利用したり多岐にわたるデータから必要に応じて検索・加工したりする際にはそれでは不十分です。特に企業においてどこに何があるのか逐一他人に聞かなければわからない状況は致命的でしょう。

　例としてEC市場における在庫管理を考えてみてください。みなさんが在庫残り5つの商品を購入した次の瞬間には、ほかの消費者から見たその商品の在庫数は4になっていなければ商売上不都合が生じます。ウェブサイトの裏にこれを管理しているシステムがあることはわかると思うのですが、具体的にどのように実現されているのでしょうか？　この際に使われるのが**データベース技術**です。

　近年ビッグデータブームに後押しされ、データベース分野には目覚ましい技術革新がいくつもありました。GoogleにしろFacebookにしろAmazonにしろ、**データベースに関して巨大な技術革新があったからこそ、現在の世界を股にかけるグローバルスケールのビジネスが可能になった**といっても過言ではありません。

　本章の内容は個人レベルでデータサイエンスをするという観点からは少し蛇足になりますが、データサイエンス業界を支える技術を学ぶことは決して無意味ではありません。ここではデータベースの基本から始め、Googleの技術革新を中心に近年の潮流を概観することにしましょう。

30秒でわかる！ ポイント

データの共同利用時にはデータベースが必要

データの個人利用

データの共同利用

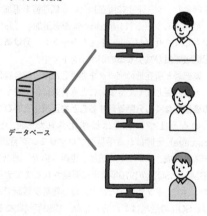

データベース

▶ データサイエンスの基礎技術
02 │ リレーショナルデータベースと SQL

　リレーショナルデータベースマネジメントシステム（RDBMS）とは、**表形式でレコード（データ）と属性の関係を表現する管理システム**のことです。エクセルを想像してください。各行でレコードを、各列で属性値を表現するテーブルは、みなさんもおなじみでしょう。

　RDBMS を特徴づける操作に、**結合（ジョイン）**があります。たとえばエクセルのシート１に社員の名前と所属部署が記録されており、シート２に所属部署と部署の所在地が記録されているとします。

　結合とはこの時にシート１の所属部署とシート２の所属部署を軸に２つの表を結合し、シート１に所在地という属性値を追加する操作を呼びます。最初からシート１に所在地の情報を追加しておけばよいと思われるかもしれませんが、シート１とシート２に**分けることによって必要な記憶領域量が減少する**のがポイントです。

　また、所属部署と所在地のデータを変更した際、結合操作をしたすべてのシートを変更しなくてもよいことも特筆に値します。このように**データの重複をなくし分割管理することを正規化と呼びます。**

　RDBMS のもう１つの特徴は標準化された SQL（Structured Query Language）と呼ばれる平易なプログラミング言語を用いて、データベースの作成、レコードの追加・更新、検索・抽出を行うことです。RDBMS や SQL が1970年前後に開発されるまでデータベースを扱うクエリ（データを処理する命令）は、難解な言語で命令を送る必要があり、SQL の登場は革命的でした。1980年代になるとオラクルや IBM など RDBMS を商用的に提供する企業も増え、現代でもよく使われるデータベースの１つとなっています。

30秒でわかる！ ポイント

エクセルシートの結合操作

シート1

氏名	部署
田中太郎	人事部
山田壮一	総務部
鴨橋尾	IT部
出田彩子	人事部

シート2

部署	所在地
人事部	東京都
総務部	愛知県
IT部	愛知県

→ 結合 ←

所属部署を軸に

氏名	部署	所在地
田中太郎	人事部	東京都
山田壮一	総務部	愛知県
鴨橋尾	IT部	愛知県
出田彩子	人事部	東京都

正規化	＝ 重複をなくし表を分割管理すること

↓

(1) コンパクト化
(2) データ更新が楽

7 **データベース**

▶ データサイエンスの基礎技術

03 | Googleと
モジュラーデータセンター

　かつて Google では、社内データベースはネットワークを通じて特別なストレージサーバーにアクセスするネットワークアタッチトストレージやストレージエリアネットワークと呼ばれる手法が主流でした。しかしウェブ上の膨大な情報を処理するにはストレージサーバーの性能をスケールアップしなければならず、技術的な限界がありました。

　そこで **Google が開発したのがモジュラーデータセンター**です。1つだけ用意した高価なストレージサーバーにアクセスを集中させるのではなく、**廉価なサーバーを大量に設置**し、その記憶領域と計算資源の両方を有効活用するというものでした。これにより1台のストレージサーバーの性能に限界が出ても、サーバー数を増やすことで容易に処理性能を上げる**スケールアウト**が可能になりました。実際当時 Google が取得した特許を見るとコンテナ1つあたりにおよそ1000台のサーバーを格納しコンテナごとに電源や空調を管理する手法が提唱されています。このように大量のサーバーを1つのコンピュータのようにしたものを**クラスタ**と呼びます。

　当然こうしたシステムを運営するには従来の RDBMS では限界がありました。そこで当時の Google がつくった独自のソフトウェアが Google File System [1]、MapReduce [2]、BigTable [3] です。Google File System はクラスタの記憶領域をまるで1つのサーバーの記憶領域として使用するためのソフトウェアです。MapReduce は、簡潔に述べるとクラスタの計算資源を効率的に利用し並列分散処理をする計算の枠組みです。BigTable は Google File System の上での運用を強く意識したデータベースです。

30秒でわかる! ポイント

モジュラーデータセンターの仕組み

PCのスケールアップには
限界がある

ストレージを共用する(Google File System)

大量の廉価なコンピューター

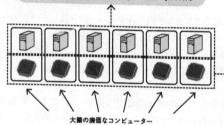

計算資源を共用する(MapReduce)

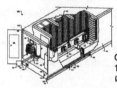

Googleの特許より
1000台のサーバーをコンテナ
に入れ電源と空調を完備

[1] https://research.google.com/archive/gfs.html
[2] https://research.google.com/archive/mapreduce.html
[3] https://research.google.com/archive/bigtable.html

▶データサイエンスの基礎技術
04 MapReduceと Hadoop

MapReduceとはクラスタを用い並列分散処理を効率的に実行する計算の枠組みのことです。MapReduceではデータを抜き出すMap処理、同期フェーズのShuffle処理、結果を集計するReduce処理の3つのステージに分かれます。一つひとつ見ていきましょう。

Map処理ではクラスタ内の各サーバーに分散しているデータから必要なデータを抜き出します。たとえば大量の文書から単語の出現頻度を数えるとしましょう。Map処理ではクラスタを構成する各サーバーで単語を抜き出し、3章3節で見たハッシュテーブルのようにキーバリューペアにまとめていきます（右ページ参照）。

この結果を受け、**Shuffle処理**では各サーバーのキーをReduce処理をする際にどこのサーバーに振り分けるかを決め、キーの順番によって並び替えます。たいていShuffle処理の部分はMap処理が実行されたあとに自動的に行われることが多いです。

最後に**Reduce処理**ではShuffle処理で振り分けられたデータを各サーバーで受け取り集計などの処理を行います。Reduce処理の段階では、あるキーに関係する情報はすべて1つのローカルサーバー内に保存されています。そのため各サーバーで集計するだけで望みのタスクが完了します。このようにデータの抜き出し、同期、集計の3ステップで処理するのがMapReduceです。

MapReduceの概要は論文を通じて広く世界の知るところとなったのですが、コードは公開されませんでした。そこで**オープンソースで開発されたのがHadoop**です。またPigなどHadoopを扱いやすくしたプログラミング言語も存在します。

30秒でわかる！ ポイント

MapReduceの3つのステージ

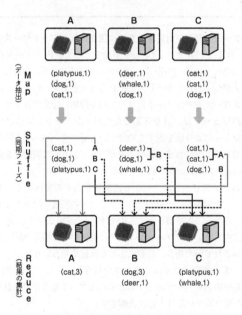

Map（データ抽出）

A
(platypus,1)
(dog,1)
(cat,1)

B
(deer,1)
(whale,1)
(dog,1)

C
(cat,1)
(cat,1)
(dog,1)

Shuffle（同期フェーズ）

(cat,1) A
(dog,1) B
(platypus,1) C

(deer,1)] B
(dog,1)]
(whale,1) C

(cat,1)] A
(cat,1)]
(dog,1) B

Reduce（結果の集計）

A
(cat,3)

B
(dog,3)
(deer,1)

C
(platypus,1)
(whale,1)

 ワンポイントアドバイス

自前でクラスタをもたなくてもAmazon Web Serviceなどのクラウドでも試すことができるので興味のある方は勉強してみるとよいです

7 データベース

▶ データサイエンスの基礎技術
05 NoSQL

　ビッグデータ環境に対応するために開発されたデータベースを総称して NoSQL と呼びます。Google が論文として社内のデータベース技術を公開して以降、商用・オープンソースともに、多くの新しいデータベースがつくられてきました。それらは大きくキーバリュー、カラムファミリー、ドキュメント、グラフの4種類に分類できます。

　キーバリューとは、3章3節で見たハッシュテーブルのようにユニークなキーにより値を返すものです。大量のサーバーでもスケールアウトできるようにさまざまな工夫がされており、代表的なものとして Amazon の Dynamo があげられます。

　カラムファミリーとはキーから直接値を返すのではなく、カラムファミリーを定義し、そのカラムファミリーの項目の情報と元のキー情報をあわせることで値を返すものです。こうすることで、「あるユーザーの住所」というカラムファミリーに郵便番号、都道府県が情報として格納されていた場合、必要に応じて郵便番号を取り出すことができます。また各値はタイムスタンプを付与し、新しいもの順にバージョン違いの値を格納する工夫もとられます。7章3節でふれた Big Table がカラムファミリーの代表例です。

　ドキュメントは1章6節で説明した JSON 形式などを格納するのに特化したものです。代表的なものとして MongoDB があります。

　最後に**グラフ**は RDBMS の結合操作を素早くできるように考案されたもので、データをネットワークのようにグラフとして格納するものです。そうすることで最短経路長などネットワーク系の計算が素早くできます。Neo4j や Dgraph がその代表です。

30秒でわかる！ ポイント

ビッグデータのためのデータベース

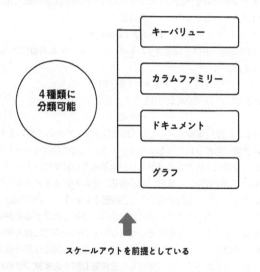

NoSQL … 近年開発された
データベースの総称

4種類に
分類可能

- キーバリュー
- カラムファミリー
- ドキュメント
- グラフ

↑

スケールアウトを前提としている

最近ではクラウドで使用できることも多いので
一般ユーザーがNoSQLのようなデータベースを
使う日も遠くないかもしれません

▶ データサイエンスの基礎技術

01 | 最適化とは

　最適化問題とは定められた条件下で目的関数を最大化あるいは最小化する解を求める問題のことです。たとえば連続関数の最大化問題であれば、一般的に次のように書けます。

$$\hat{\theta} = argmax_\theta f(\theta)$$

　この問題の困難さは関数 f の形状やパラメータ θ の数によります。たとえば、

$$f(\theta) = -\theta^2 + 2\theta - 1$$

であれば、1階微分を取り0と置くことで

$$-2\theta + 2 = 0$$

$\theta = 1$ が全体最適解であることは高校数学でもわかると思います。

　次に関数の形状に注目してみましょう。上記関数は右ページの図のように全体に1つ大きな峰があり、関数のどの位置にいようが全体最適解の方向が局所的な情報（微分情報）からわかるという特性をもっています。こうした問題のことを**凸問題**といいます。凸問題は、たとえば右ページのもう1つの図に比べ全体最適解を計算するのが楽という利点をもちます。全体最適解ではないものの局所的に最適解になっている解のことを局所最適解と呼びます。現実の問題は局所最適解を多く含むことが多く、凸問題がもつ**全体最適解を必ず見つけられるという保証は非常に強力な**ものです。

　さて上記のように簡単に解析的に解ける問題ばかりなら万事解決ですがそうはいきません。そこで問題にあわせてさまざまな最適化のテクニックがあります。そのすべてを紹介するのは不可能ですが、ここでは重要な基本的なテクニックをいくつか見ていきましょう。

30秒でわかる！ ポイント

最大化問題、凸問題、非凸問題

最大化問題

$$\hat{\theta} = argmax_\theta f(\theta)$$

→ $f(\theta)$ を最大化する θ ということ

凸問題

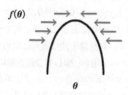

$f(\theta)$

θ

全体に1つ大きな峰があり
全体最適解を計算するのが楽

非凸問題

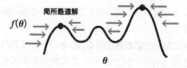

全体最適解

局所最適解

$f(\theta)$

θ

現実の問題は局所最適解を含むことが多い

8 最適化の方法

▶ データサイエンスの基礎技術

02 | 勾配法

　前節の例のように解析的に全体最適解を求められるケースは稀です。しかし各点における微分情報の計算は容易なことがあります。その際に使用されるのが勾配法です。ここではその中でも最も簡単な**最急降下法**を見ていきましょう。次の関数を最小化したいと思います。

$$f(x,y)=\exp\{0.5x^2+0.2y^2\}$$

　解析的に極小解が $x=0, y=0$ にあることは自明ですが、説明のためにこの関数 f を用います。最急降下法は適当に定めた初期値から始め関数 f の1次微分情報のみを用い、**少しずつ最適解に近づく方法です**。右に初期値が $x=-0.8, y=1.9$ の場合のアルゴリズムの進捗例も掲載していますのでこの図をベースに説明していきます。

　まず初期値に対して勾配を計算すると、解は実線の矢印で示された分だけ修正されることになります。ここで重要なのはこの直線をそのまま延長しても極大解である $x=0, y=0$ にはたどりつかないことです。そこで少し修正した解のところでもう一度勾配を評価し、再度解を修正します。2つ目の矢印の場合でも最適解にはたどりつきませんが、初期値よりは大分ましになっていることがわかります。これを繰り返すことにより解は少しずつ修正され、やがて最適解にたどりつくことになります。

　最急降下法において**解の修正幅をコントロールするパラメータを学習率といいます**（右ページでは η）。この値が高すぎると最適解の付近で行ったり来たりを繰り返すことになりますし、小さいと最適解にたどりつくのに膨大な時間がかかることになります。したがって学習率を適切に設定するのが重要です。

30秒でわかる！ ポイント

最急降下法による最適解の求め方

最急降下法

適当に初期値を定める

⬇

```
while(まだ十分に改善):
    ∇f(θ)を計算
    θ ← θ − η∇f(θ)
return θ
```

∇fとは、関数fの勾配ベクトルのこと。今いる点から少し動いたとき、関数の値が一番大きくなる向きです

ηは、解の修正幅をコントロールする学習率です

アルゴリズムの進捗例

初期値

$Z = \exp(0.5X^2 + 0.2y^5)$

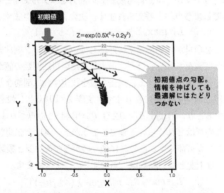

初期値点の勾配。情報を伸ばしても最適解にはたどりつかない

☞ ワンポイントアドバイス

勾配法には、ほかにも座標降下法、共役勾配法などさまざまな種類がありますが基本的な考え方は上記のものと共通です。問題に応じて適切な手法を使うのが大切です

▶ データサイエンスの基礎技術

03 | 制約付き 極大化

たとえば、次のように極大化問題に制約がある状況を考えます。

$$\max_{\theta} \sum_{i=1}^{3} n_i \log \theta_i$$
$$subject\ to\ \sum_{i=1}^{3} \theta_i = 1$$

ここで $n_1 = 3, n_2 = 2, n_3 = 4$ とします。どうやればこの制約を満たす極大解を計算できるでしょうか? 制約式を式変形して代入する方法も簡単そうですが、ほかにも**制約式の部分をペナルティとして元の式に含んでしまう**方法も考えられます。次のようになります。

$$L_1 = \max_{\theta} \sum_{i=1}^{3} n_i \log \theta_i - \lambda \left(\sum_{i=1}^{3} \theta_i - 1 \right)^2$$

ここで2項目がペナルティに対応している部分で、制約式が満たされなければ満たされないほど、最大化したい目的関数の値が減る効果を生んでいます。あとは λ に適当な値を設定すれば制約なしの極大化問題と同じ構造の問題になります。実際 $\lambda = 1000$ とし最急降下法で極大化すると $\theta_1 = 0.335, \theta_2 = 0.223, \theta_3 = 0.446$ と計算されます。

さてこの解はどれくらい正確でしょうか? 実は上記問題は解析的に解くことも可能です。この際に使うのが**ラグランジュ乗数法**で、この方法では上記と違い**制約は二乗せず**そのまま含めます。

$$L_2 = \max_{\theta} \sum_{i=1}^{3} n_i \log \theta_i - \lambda \left(\sum_{i=1}^{3} \theta_i - 1 \right)$$

この L_2 に対して θ と λ で交互に1次微分し、0と置いた際の解を組み合わせると右ページのように計算できます。

$$\theta_1 = \frac{n_1}{\sum_i n_i} = 0.333, \theta_2 = \frac{n_2}{\sum_i n_i} = 0.222, \theta_3 = \frac{n_3}{\sum_i n_i} = 0.444$$

よって上記の解答も大きくずれていないことがわかると思います。

30秒でわかる！ ポイント

制約付き極大化問題の解き方

制約付きの極大化問題を
解析的に解いてみよう！

ラグランジュ乗数法を使う

ラグランジュ乗数法の解法

$$\frac{\partial L_2}{\partial \theta_1} = \frac{n_1}{\theta_1} - \lambda = 0 \Longleftrightarrow \theta_1 = \frac{n_1}{\lambda} \cdots (1)$$

代入

$$\frac{\partial L_2}{\partial \lambda} = \sum_{i=1}^{3} \theta_i - 1 = 0 \Longleftrightarrow \sum_{i=1}^{3} \frac{n_1}{\lambda} - 1 = 0 \Longleftrightarrow \lambda = \sum_{i=1}^{3} n_i \cdots (2)$$

(2)を(1)に代入

$$\theta_1 = \frac{n_1}{\sum_{k=1}^{3} n_k}$$

 ワンポイントアドバイス

制約付き極大化は、このほかにも問題設定によってさまざまな解答法が
あります。状況に応じて適切な手法を用いることが重要です

8 最適化の方法

▶データサイエンスの基礎技術

04 組み合わせ最適化（1）
最小全域木

　高校数学を思い出せばわかる通り、微分するのに重要なのは関数が連続であることです。つまり、これまで扱ってきた手法は微分可能な関数を定義できる問題にしか適用できません。その一方で、組み合わせなど微分可能な関数を定義することがむずかしい問題を対象にした最適化問題も存在します。これを**組み合わせ最適化（離散最適化）**と呼びます。ここでは最小全域木問題を見ることで、組み合わせ最適化を概観してみましょう。

　最小全域木問題とは送電線設計などに応用される問題で、右ページ表のように発電所同士をつなぐコストが与えられたときに、全体をつなぐ総コストが最も低くなるようにすべての発電所をつなぐ方法を探すものです。発電所の数は7なので2つの発電所の結び方は$\frac{7 \times 6}{2} = 21$通りあります。この21本の辺の中から適切な6本を見つけるのが、最小全域の問題になります（約5.4万通りあります）。**組み合わせ最適化のミソはこの約5.4万通りすべてを確認すれば必ず最適解が見つかること**です。しかしこの数が大きくなればなるほど計算量的に耐えられるものではなくなります。そのため、計算量が少ない解法を出すのが組み合わせ最適化のポイントです。

　最小全域木問題の場合、次のように解くことができます。まずある発電所をランダムに選びます（発電所Aとします）。そこから最も近い発電所を選びます（この場合発電所F）。次に発電所Aと発電所Fから出ている送電線のうち、AとF以外とつながる1送電線のうち最小のものを選びます（この場合発電所C）。あとはこの操作を繰り返し逐次的に増やしていきます。これを**プリム法**と呼びます。

30秒でわかる！ ポイント

最小全域木問題の最適解の見つけ方

発電所間の距離

	A	B	C	D	E	F
A	0	11	3	5	1	5
B	11	0	4	5	7	2
C	3	4	0	4	3	4
D	5	5	4	0	7	5
E	6	9	7	3	6	4
F	1	7	3	7	0	11
G	5	2	4	5	11	0

2つの発電所の結び方

⬇

$$\frac{7 \times 6}{2} = 21 通り$$

全体をつなぐには6本の辺をつくる必要がある。
約5.4万通りから最適なものを見つける

⬇

ランダムに
発電所を選ぶ ‥‥‥

AとF以外とつながる
送電線のうち最小のもの

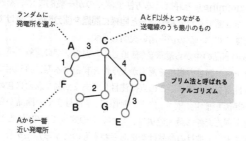

プリム法と呼ばれる
アルゴリズム

Aから一番
近い発電所

▶ データサイエンスの基礎技術

05 | 組み合わせ最適化（2） ナップザック問題

　ナップザック問題とは、重量と価値がわかっている n 個の商品の中から、総重量が K 以下という制約を守りつつ、総価値が最大化されるように商品の組み合わせを探す問題であり、数学的には次の通りです。

$$\max \Sigma_i v_i x_i \quad subject\ to\ \Sigma_i w_i x_i \leqq K$$

ここで v_i は商品 i の価値、w_i は商品 i の重量、x_i は0か1をとる数字で商品 i を含めるか否かをあらわします。この問題もすべての可能性を試すことで必ず最適解を得ることができます。しかしすべての可能性は 2^n 通りあるので、仮に $n=20$ とするとその数は100万を超えます。そのため、ナップザック問題は**動的計画法（Dynamic Programming）**と呼ばれる方法で解くのが一般的です。動的計画法は6章2節で見た**分割統治法**と同様に問題を部分問題に分けて解く**手法です。**右ページの例を用い説明します。

　m 個の商品の中から総重量制約 $0,…,K$ の制約下で最適解を選ぶ際の計算は $m+1$ 個目の商品を選ぶかどうかを判定する際に再利用できるという性質をもちます。この点に注目してある商品を新たに含めるかどうか評価します。重さ j 以下の制限で、i 番目までの商品から組み合わせを選んだ際の最大価値は、右ページの式（1）の dp として計算できます（1番目の商品は空をあらわすものとする）。$dp\,[i,j]$ の i を行、j を列へ対応させ、表として図示したのが表1です。式としては煩雑ですが、要するに表1のように**表形式で情報を管理し効率的な計算をすることが動的計画法のミソです。**動的計画法を用いることで、総当たりの $O(2^n)$ から計算量は $O(nK)$ になります。

30秒でわかる！ ポイント

動的計画法によるナップザック問題の解き方

商品	A	B	C	D	E
重量	1	3	2	7	4
価値	3	2	4	6	3

ポイント
商品を含める際にはその重量分だけ右下にずらしたマスに新たに含める商品の価値を足し真上のマスと比較し大きいほうを選ぶ

$$dp[i,j]=\max\{dp[i-1,j-w[i]]+v[i],dp[i-1,j]\} \qquad 式(1)$$

- 3行5列目（商品セットAB、重量4）は
  3（価値）+2（価値）>3（重量）なので商品Bを足す
- 2行2列目（商品セットA、重量1）でAが選ばれていたところにBを足すので、3行5列目はAB両方選ばれている

表1

矢印は計算の流れをあらわす

上から順に含めるか否か判定
商品

		0	1	2	3	4	5	6	7	8	9
	空	0	0	0	0	0	0	0	0	0	0
	A	0	3 A	3 A	3 A	3 A	3 A	3 A	3 A	3 A	3 A
	B	0	3 A	3 A	5 AB	5 AB	5 AB	5 AB	5 AB	5 AB	5 AB
	C	0	3 A	4 C	7 AC	7 AC	7 AC	9 ABC	9 ABC	9 ABC	9 ABC
	D	0	3 A	4 C	7 AC	7 AC	9 ABC	9 ABC	9 ABC	9 ABC	10 CD
	E	0	3 A	4 C	7 AC	7 AC	9 ABC	9 ABC	10 ACE	10 ACE	10 ACE

（重量）

A、C、Eなら重量7で（ ━━ のパス）
CDなら重量9で10の価値になる（ ━━ のパス）

第 3 部

統計学・機械学習の基礎

第3部　シラバス

総括　　第2部ではデータサイエンスを支える基礎技術を学んできました。「統計技術なんて平均や分散だけでよい。面白いデータを収集することがすべてだ」というラディカルな立場に立つならばこれ以上勉強する必要はないのかもしれませんが、それだとあまりにもつぶしがききません。

そこで第3部ではデータの特徴を統計モデル化する、さまざまな方法を紹介します。特に「コンピューティング技術を活用した統計学」とも呼べる機械学習の基本を見ることで、統計モデルを作成する際のヒントを学ぶことができます。

機械学習自体も非常に広い分野なのですが、ここではおもに（1）予測精度の高いモデルをつくるにはどのようにしたらよいか、（2）訓練したモデルからは何が読み取れるかという2つの問いを軸に説明を進めていきます。

9章　　機械学習とは学習シナリオ（問題設定）をコンピュータに与え、それを解くように機械を訓練させる方法だといえます。

本章ではまず機械学習とは何か簡単に解説していきます。機械学習の基本となる3つの学習シナリオ（教師あり学習、教師なし学習、半教師あり学習）の説明から始め、そもそもなぜ統計モデルを構築したいのかなど、根本的なところから解説していきます。

次に機械学習で重要になる汎化性能（はんかせいのう）に言及し、なぜ訓練データとテストデータを分けるのか、どのような種類のモデルがあ

るのか、どのように訓練すればよいのかなど、教師あり学習における基本的な事項について簡単に解説していきます。

10章 機械学習では一般的に学習能力（キャパシティ）の高いモデルを扱うことが多いです。そうしたモデルは格好がいいため、ついつい重宝しがちなのですが、データ数が少ないときにそうした複雑なモデルを使用すると、簡単なモデルに比べ逆に予測精度が悪くなるという状況にたびたび陥ります。この一見すると不思議な状況を引き起こす原因が過学習です。

過学習とは端的にいうとモデルがデータをノイズを含めて覚えてしまうことで、バイアス－バリアンストレードオフという考え方を理解すると、その本質がよく理解できます。そのため本書でもバイアス－バリアンストレードオフを通して説明していきます。バイアス－バリアンストレードオフを理解することで、ただやみくもに高度なモデルを適用すればよいわけではないことが理解できれば、十分です。

11章 10章までの議論を踏まえ、2011年の全米住宅価格データを教師あり学習の問題として実際に分析してみましょう。

12章 一次分析や線形回帰などの素朴な洞察と簡単なモデルから始め、さまざまなモデルに適用することで、どれくらい予測精度が改善していくかを見ていきます。また各モデルの長所短所、覚えておいたほうがよい豆知識もあわせて解説していきます。

これらの節を通して、同じデータであってもモデルによって予測精度や得られる洞察が異なっていく様子を実感することが

できます。また12章で紹介するアンサンブル学習はデータコンペティションなどでも多用される手法ですので、うまく用いれば読者のみなさんも賞金を獲得できるようになるかもしれません。

13章 これまでの説明はすべてターゲット変数が実数である回帰問題を対象にしてきました。しかし、送られてきたメールがスパムであるかどうかの判定などでは、ターゲット変数が2値などいくつかの決まった分類になることも多いです。こうした問題を分類問題と呼び、データサイエンティストをやっていると、さまざまな場面で遭遇します。

視覚的にわかりやすくするために2値問題に絞りますが、本章では11章2節で見る線形回帰モデルの拡張であるロジスティック回帰から始め、線形サポートベクターマシン、サポートベクターマシンと説明していきます。サポートベクターマシンは人気のある手法ですので、覚えておいて損はありません。

14章 教師なし学習の基本として、まずK−平均法と階層的クラスタリングを見ていきます。両方とも同じ2次元の問題を対象にしますので、視覚的にわかりやすいと思います。次に主成分分析と特異値分解を説明します。主成分分析は単なる線形の分解にすぎないにもかかわらず、非常に強力な手法で、複雑なデータでもうまく分解することができます。最初に2次元の問題を通じて図解的な説明をし、次に14章4節では同じ問題を、数学を通して説明していきます。本章4節は少々難解だと思うのですが、主成分分析と特異値分解が数学的に似たような問題を解いていることがわかれば、それで充分です。

　実例がないと面白くないだろうということで、14章の最後で
は本物の株価データを分析することで特異値分解の有用性を見
ていきます。株価データの分析を通して、比較的簡単な行列分
解の手法でも、割としっかりした洞察を得られることが実感で
きると思います。

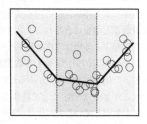

▶ 統計学・機械学習の基礎

01 | 機械学習とは

　機械学習とは、一言でいえばコンピュータサイエンスにおける、コンピュータを積極的に利用した統計学のことです。統計学と重複する部分もありますが、コンピューティングに重点をおいた手法や情報理論に根差した手法など、異なる展開を見せることも多いです。

　機械学習では**問題設定のことを学習シナリオ**と呼びます。学習シナリオには大きく分けて**教師あり学習**と**教師なし学習**があります。

　教師あり学習では入力データと出力データがセットになっているデータを扱います。住宅価格を部屋数、土地面積、住宅環境指数などの特徴量を用い回帰モデル（統計的手法によって推計された式）で予測する問題がその一例です。教師あり学習に含まれるタスクとしては回帰、分類、ランキングなどがあります。

　教師なし学習とは入力データだけを与えられた状況のことを指します。GPSを通じて収集されたあるユーザーのアプリの起動記録を緯度経度として収集したデータを考えてみましょう。右ページに見られるように複数の中心点に密集して起動記録が残ると思います。こうしたデータを用い、その中心点を探す問題が教師なし学習の一例です。教師なし学習に含まれるタスクとしてはクラスタリング、次元削減、行列補完、多様体学習などがあります。

　その両方の側面を含む**半教師あり学習**もあります。これは一部のデータには出力データがあるが残りの出力データがない状況を指します。たとえばSNSなどで収集された友好関係ネットワークと一部性別が判明しているデータセットがあった場合です。この場合交友関係ネットワークを活かし、残りの人の性別を予測することが可能です。

30秒でわかる! ポイント

機械学習の学習シナリオ

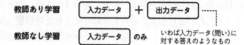

教師あり学習　　入力データ ＋ 出力データ ┈┈┈┈

教師なし学習　　入力データ のみ

いわば入力データ(問い)に
対する答えのようなもの

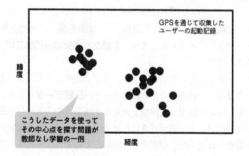

GPSを通じて収集した
ユーザーの起動記録

緯度

経度

こうしたデータを使って
その中心点を探す問題が
教師なし学習の一例

半教師あり学習　　一部に対しては

入力データ ＋ 出力データ

残りは　入力データ のみ

▶ 統計学・機械学習の基礎

02 | 教師あり学習

　まずは基本的な回帰問題を見ることから始めましょう。たとえば住宅価格を予測したいとします。われわれに与えられた**特徴量**（統計学では説明変数とも呼びます）は部屋数、土地面積、住宅環境指数だとします。住宅価格を Y、特徴量を X で表現するとします。数学的にこの問題は次のように書けます。

$$Y = f(X) + \varepsilon \quad 式（1）$$

　ここで f は Y と X をつなぐ関数、ε （イプシロン）は誤差項（X とは無関係のランダムノイズ）をあらわします。**教師あり学習の目的はこの f を推定すること**です。

　なぜ f を推定したいのでしょうか。まず f を推定することで**予測が可能**になります。最初に与えられたデータ（**訓練データ**）を用いて推定した f_{est}（est は推定した関数をあらわす添字）をもとに住宅価格が不明な住居に対して予測が可能になります。これは不動産鑑定の観点から重要なのは言わずもがなです。仮に、どのような仕組みで値が定まるか分析者にとってまったく不明であっても、予測精度さえよければよいというケースもあります。そのため、機械学習の一部の手法では解釈性を犠牲にして予測精度を上げることが重視されます。

　f を推定する別の理由は**データの解釈**です。仮に f が**線形回帰**のように非常にわかりやすいモデルであれば相関関係を分析するのも容易です。また線形回帰の場合、係数を見るだけで各変数が正の相関をもつのか負の相関をもつのかも一目瞭然です。モデルによっては、たとえば「住宅環境指数がある程度以上高いと建造年が古くても高い」など複数の変数が生み出す相関も検出可能です。

30秒でわかる！ ポイント

教師あり学習の目的

回帰問題 ➡ 教師あり学習

出力データと入力データをつなぐ関数を学習することで
(1) 予測できるようになる
(2) データの解釈が可能になる

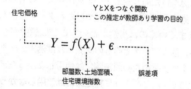

住宅価格

YとXをつなぐ関数
……… この推定が教師あり学習の目的

$$Y = f(X) + \epsilon$$

部屋数、土地面積、
住宅環境指数

誤差項

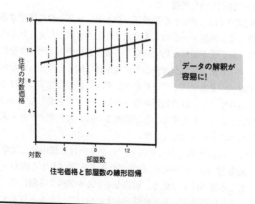

データの解釈が
容易に！

住宅価格と部屋数の線形回帰

▶ 統計学・機械学習の基礎

03 | 訓練エラー・テストエラー

　機械学習で重要になるのが**汎化性能**と呼ばれるものです。たとえばスーパーに配置されたロボットが過去の顧客の購買情報を分析し、何らかのパターンを見つけ出したとします。そのパターンにもとづいた予測の有用さを測るにはどうしたらよいでしょうか？

　パターンを見つけた同じ過去データを用いてその有用性を測るのでしょうか？　過去データにおいて見つけたパターンを同じデータで検証すれば、うまくいくのは当然だということは想像がつくと思います。極端な話、過去データそのものを覚えれば過去データ内での予測は完全にできます。そのため訓練時には使用しなかったデータで検証するのが一般的です。このように**推定時には使用しなかったデータで測定した性能が汎化性能**です。

　機械学習では、データを**訓練データとテストデータに区別するの**が一般的です。無論データの入手時にそうした区別が与えられるのは稀なので、分析者が妥当な形で峻別し、擬似的にテストデータを作成します。データを生成した背後のモデルが常に同じと考えられるのであれば訓練データとテストデータをランダムに好きな比率で分けることが考えられますし、時点情報を含み各レコードを生成した背後のモデルが時点によって変化することが前提ならば、過去データと未来データで分けるのが妥当になります。

　このように訓練データとテストデータを分ける理由には10章で説明する**過学習**（Overfitting）と呼ばれる考え方が大きく関わってきます。また本書の後半で見る、複雑なモデルを訓練する際には、訓練データをさらに訓練データと検証データに分けることもあります。

30秒でわかる! ポイント

汎化性能の測り方

**データから見つけたパターン(規則性)が
そのデータでうまくいくのは当たり前**

未知のデータで

うまくいくか検証する

モデルの汎化性能を測る

テストデータ(推定時に使用しなかった
未知のデータ)へのあてはまりがよいかどうか

▶統計学・機械学習の基礎

04 パラメトリックモデルと ノンパラメトリックモデル

9章2節でみた関数 f はどのようにモデリングすればよいのでしょうか。f に考えられるモデルは大きく**パラメトリックモデル**と**ノンパラメトリックモデル**の2つに分けられます。パラメトリックモデルとは数式を用い、明示的に関数を定義したモデルのことを指します。たとえば次の線形回帰モデルなどはその好例です。

$$f(X) = \beta_0 + \beta_1 X_1 + \beta_2 X_2 + \beta_2 X_2 + \cdots + \beta_p X_p$$

もちろん線形性にこだわる必要なく、次のように非線形にすることも可能です。

$$f(X) = \beta_0 + \beta_1 \sqrt{X_1} + \beta_2 X_1 X_2 + \beta_3 X_2$$

パラメトリックモデルの利点は一般的にノンパラメトリックモデルに比べ、モデルを安定してフィットするのに必要なデータ数が比較的少なくすみ、モデルの推定も容易なことです。また科学理論などにもとづきモデルを定めた場合は係数自身に解釈可能な意味が付与されることが多く、その場合は解釈性が非常に高くなります。これは係数が単なる数値ではなく、背景となる理論の中で意味をもつことになるからです。

それに対し f の関数型に対して明示的な仮定をおかないモデルのことを、**ノンパラメトリックモデル**と呼びます。パラメトリックモデルに比べデータに合わせる形でモデルを構成していくため、真のモデルに近いモデルになる可能性が高いという保証はあります。しかしその一方でパラメトリックモデルに比べ安定しモデル推定に必要なデータ量は多くなります。また手法によってはモデルを推定するのも決して楽ではありません。

30秒でわかる！ ポイント

パラメトリック・ノンパラメトリックの長所と短所

 パラメトリックモデル ▶ モデルを数式で明示

⚪ 長所

- 安定して推定するのに必要なデータが比較的少ない
- モデル推定も簡単
- 解釈性が高いことが多い

❌ 短所

モデルの仮定が悪いとシステマティックに予測を外すことになる

 ノンパラメトリックモデル ▶ データに合わせてモデルを構築

⚪ 長所

真のモデルに近い形にモデルを構成できる

❌ 短所

- 安定して推定するのに必要なデータが比較的多い
- モデル推定がむずかしいことが多い
- 解釈性が犠牲になることも

▶統計学・機械学習の基礎
05 │ 推定法

　モデル f はどのように推定すればよいのでしょうか？　予測が目的であるならテストデータ上の損失（モデルの予測とデータとの間の乖離）を最小化するモデルが最もよいモデルになります。たとえば野球選手の年俸の推定では、金額とその予測値の**平均二乗誤差（下記で定義）でその損失を測ること**がよいでしょう。

$$MSE_{test} = \frac{1}{|test|} \Sigma_{i \in test} (y_i - \hat{f}(\mathrm{x}_i))^2$$

もちろんこの量はテストデータに年俸のデータがないため、訓練時には評価できません。そこで訓練データで同様のものを計算しこれを最小化することでモデルを推定します。

$$MSE_{train} = \frac{1}{|train|} \Sigma_{i \in train} (y_i - \hat{f}(\mathrm{x}_i))^2$$

　ここで重要な点が2点あります。第一に、**訓練データとテストデータが同じ性質**をもった（データを生成した背後のモデルが同じ）データでなければ、いくら訓練データでの損失を最小化してもテストデータ上では役に立ちません。

　第二に、モデル f が柔軟すぎると訓練データに過剰適合してしまい、**過学習（overfitting）と呼ばれる状況が発生**します。過学習とはモデルが誤差項（再現性がない完全にランダムな部分）を再現しようとしてしまう状況です。9章2節の式（1）のように、回帰問題ではデータは決定的な関数と再現性がない誤差項（ノイズ）の和算で生成されると考えています。モデルが再現したいのは前者の一般化できる関数の部分でありノイズを覚えても何の意味もありません。この過学習の概念は非常に重要なので次章で説明します。

30秒でわかる! ポイント

モデル推定のやり方と注意点

┄┄┄┄ モデルの予測とデータとの間の乖離

モデルは　損失関数　を最小化したり
尤度（15章3節）を最大化したりすることで推定する

┄┄┄┄ モデルがデータにどれくらい
　　　当てはまっているかをあらわす指数

注意点1　訓練データとテストデータはデータを生成した
背後のモデルが同じでなければ汎化性能は出づらい

例　野球選手の年俸予測をしたいのに、
サッカー選手の年俸で訓練した
モデルで予測する

年俸は？

注意点2　モデルが柔軟すぎると過学習を起こす

例　過去の購買パターンすべてを
覚えてしまうモデル。データ
そのものを覚えても新しい
データには対応できない

▶ 統計学・機械学習の基礎

01 | 期待値と分散

ここでは10章の理解に必要な数学を軽く説明します。サイコロを1度振る問題を考えてみましょう。サイコロなので出る目は1から6までの整数になります。サイコロを1度振った結果出る目を確率変数 X で表現してみましょう。そうすると、たとえば4の目が出る確率は次のように表現されます。

$$P(X=4) = \frac{1}{6}$$

確率変数の期待値（平均値）は次のように定義されます。

$$E[X] = \sum_{i=1}^{n} P(X=x_i) x_i$$

サイコロの例では $\frac{1}{6} + \frac{2}{6} + \frac{3}{6} + \frac{4}{6} + \frac{5}{6} + \frac{6}{6} = \frac{7}{2}$ で確率で重みをつけたサイコロの目の平均値だということがわかると思います。**分散**は確率変数の値のばらつきを表現するもので、次のように定義されます。

$$Var[X] = E[(X-E[X])^2] = E[X^2] - (E[X])^2$$

平均や分散はサイコロの例のような離散変数（飛び飛びの決まった値しかとらない変数）ではなく、連続変数でも定義することができます。たとえば**正規分布**と呼ばれる、ある点を最頻値に生じる確率が両方向に指数的に減少していく分布、

$$P(X=x) = \frac{1}{\sqrt{2\pi\sigma^2}} \exp\left(-\frac{(x-\mu)^2}{2\sigma^2}\right)$$

であれば上記と違い計算には積分が必要になりますが、期待値は μ（ミュー）、分散 σ^2（シグマ）になることがわかります。

期待値と分散、正規分布の例

期待値 ➡ 確率変数が取る値を確率で
重みをつけた平均値

分散 ➡ 確率変数が取る値のばらつきを
表現したもの

正規分布の例

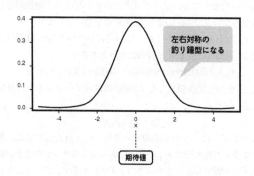

▶ 統計学・機械学習の基礎

02 | バリアンス

回帰問題を生む**真の関数**をf_{true}と表記しましょう。これは神のみぞ知る関数なのですが、ここでは説明のために判明しているものとします。訓練データは次の式によって生成されます。

$$y = f_{true}(x) + \varepsilon$$

真の関数f_{true}はわからないので推定したモデルf_{est}を使用し次の式で予想します。

$$y_{est} = f_{est}(x)$$

ここで大事なのは、推定モデルf_{est}は訓練データを生んだ真の関数が共通だったとしても、ノイズ（上式のε）によって毎回同じになるとは限らない点です。つまりf_{est}も確率変数になります。

仮にf_{true}は3次元多項式（$x^3, x^2, x, 1$を用いてつくられる関数）、εは平均0、標準偏差1の正規分布に従うとします。

$$f_{true} = 0.000028x^3 + 0.0037x^2 - 0.07x + 4.5, \varepsilon \sim N(0,1)$$

またf_{est}を20次元多項式として100個の訓練データをもとに推定したとしましょう。

$$f_{est} = \Sigma_{i=0}^{20} \hat{\beta}_i x^i$$

仮にランダムにいくつか訓練データを手に入れたとすると、訓練データを生んだ真の関数f_{true}が共通であっても各データの細かい様子はノイズの影響で異なります。このノイズの影響で、データによって推定されるf_{est}もばらつきます。この**ばらつき度合いを評価する**ために、ある決めた点x_0における$f_{est}(x_0)$で、訓練データ間の分散を計算します。これを**バリアンス**と呼び次のように書きます。

$$Var[f_{est}(x_0)]$$

30秒でわかる！ ポイント

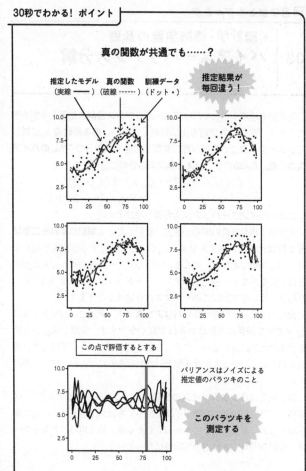

真の関数が共通でも……？

推定したモデル　真の関数　訓練データ
（実線 ——）（破線 ------）（ドット・）

推定結果が
毎回違う！

バリアンスはノイズによる
推定値のバラツキのこと

この点で評価するとする

このバラツキを
測定する

▶ 統計学・機械学習の基礎

03 バイアス―バリアンス分解

　過学習を理解する上で**バイアス―バリアンス分解**は重要な役割を果たします。詳細な数学的導出は省略しますが、**ある評価点 X_0 に対してテストデータ上の期待平均二乗誤差は必ず次の3つ**：f_{est} のバイアスの二乗、f_{est} のバリアンス、誤差項の分散に分解できます。

$$E[(y_0 - f_{est}(x_0))^2] = (f_{true}(x_0) - E[f_{est}(x_0)])^2 + Var[f_{est}(x_0)] + Var[\varepsilon]$$

これを**バイアス―バリアンス分解**と呼びます。

　まず第1項目は真の関数と推定に使用している**関数のずれを二乗誤差で数値化した**バイアスです。f_{est} が f_{true} を表現するのに柔軟性が欠けている関数であれば、どんなに苦労してモデルを訓練してもこの部分は正になります。逆に f_{est} がノンパラメトリックで柔軟な手法であった場合には、基本的にこのバイアスは0に近くなります。

　次に第2項目が前節で見た**バリアンス**です。実はこのバリアンスは f_{est} が柔軟な関数になればなるほど高くなります。前節で見た多項式モデルの次数に対するバリアンスを記したのが右ページ下図です。次数が高くなる、つまり柔軟な関数になればなるほど、バリアンスが高くなるのがわかります。

　第3項目は**ランダムノイズの分散**です。この部分はモデル f_{est} とは関係なく存在し、どんな推定手法を使っても軽減できません。逆に第1項目も第2項目も正なことからもわかる通り第3項目はテストデータ上の期待平均二乗誤差の下限値になっています。

30秒でわかる！ ポイント

算式であらわすと？

期待MSE
（期待平均二乗誤差）

$$E\left[(y_0 - f_{est}(x_0))^2\right]$$
$$= (f_{true}(x_0) - E[f_{est}(x_0)])^2 + Var[f_{est}(x_0)] + Var[\epsilon]$$

バイアスの二乗 　　　バリアンス　　　ノイズ
（近似誤差）

次数が高くなるほど、
バリアンスが高くなる
ことがわかる

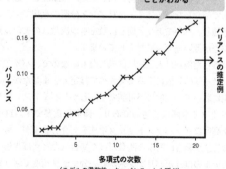

バリアンスの推定例

バリアンス

0.15

0.10

0.05

5　　　10　　　15　　　20

多項式の次数
（モデルの柔軟性。キャパシティとも呼ぶ）

▶ 統計学・機械学習の基礎

04 | バイアス−バリアンス トレードオフ

バイアス−バリアンストレードオフとはf_{est}の柔軟性（キャパシティ）を上げ近似誤差を下げようとすればするほどバリアンスが上昇するというトレードオフを指すものです。前節でも使用した多項式モデルでこの様子を見てみましょう。多項式モデルはパラメトリックモデルですが、ノンパラメトリックでも基本は同じです。

右ページ図1は**次数ごとのバイアスの二乗**をあらわしたものです。この場合は真のモデルが次数3の多項式のため、次数3以降、バイアスは0に近くなっていることがわかります。それに対して**次数ごとのバリアンス**を描いたのが図2です。次数が大きくなるにつれ、右肩上がりになっていく様子がわかると思います。この2つの項にデータが含むノイズの分散を足すと**期待テスト平均二乗誤差と一致する**というのが前節で紹介したバイアス−バリアンス分解の意味です。この例題では予想通り、真のモデルと同じ次数をもつ次数3のモデルが最も期待二乗誤差が低いモデルに対応しています。

ここで扱った例題は人工的に作成したものなので、バイアス、バリアンス、ノイズの分散に至るまですべて推定できましたが、これは現実の問題において一般的に不可能です。しかしバイアス−バリアンストレードオフの教訓は普遍的であり、非常に重要です。11章以降さまざまな高度なノンパラメトリック手法を紹介しますが、もし本当に真の関数f_{true}が非常に簡単な関数だった場合（たとえば線形モデル）、単純なモデルのほうがバリアンスが低い分、予測精度で勝ります。この傾向はデータ量が少ないときに顕著になります。そのため一般的にモデルを構成する際は**簡単なモデルから試すのが定石**です。

30秒でわかる! ポイント

バイアス-バリアンス分解の例題

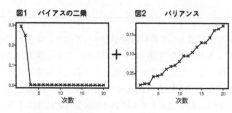

図1　バイアスの二乗

図2　バリアンス

+

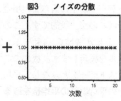

図3　ノイズの分散

+

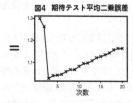

図4　期待テスト平均二乗誤差

=

複雑なモデルほどバイアスは下げられるがバリアンスは
上がってしまうため, 必ずしも簡単なモデルに予測精度で勝
てるわけではない

▶ 統計学・機械学習の基礎

05 | 交差検証法

　今までの議論はすべて真の関数がわかっており、テストデータも簡単に生成できる状況を想定したものでした。しかし現実的にデータ分析をする際に真のテストデータをもっていることは稀です。ではどうやって最適なモデルを選べばよいのでしょうか？　議論を簡単にするために、先ほどの多項式モデルにおける次数選択に焦点をあてます。

　9章3節で見たように、テストデータが手に入らない場合、擬似的に訓練データとテストデータを分けるのが一般的です。この発想を素朴に拡張し、まずN個あるデータをk分割して、(k − 1) 個のデータを訓練データとして扱い、モデルを推定します。次にここで得られたモデルを用い、残りの1つをテストデータとみなし、平均誤差を測ります。これをk回繰り返し、その**平均誤差の平均値を取る**とテストエラーの近似値を計算することができます。この手法を**交差検証法**（Cross Validation）と呼びます。

　この方法は一見すると簡単ですが、非常に有効な手法だということがわかっています。たとえば統計学を学んだことがあるなら、修正 R^2 や赤池情報量基準（AIC）など、さまざまなモデル選択の基準を学んだことがあるかもしれません。それらの方法は線形モデルの時しか使用できないなど、汎用性に欠点を抱えています。それに対して交差検証法は**訓練時とテスト時でデータを生成する背後のモデルが同じ**と仮定できればどんな状況でも使えます。

　参考までに先ほどの多項式モデルの次数選択を10分割の交差検証法を10回行った場合の結果を右ページに載せておきます。見てわかる通り次数3のときに最もエラーが少なくなります。

30秒でわかる！ ポイント

交差検証法を10回行った場合

k(=5)分割し
それぞれ黒色でフィット
灰色で平均誤差を計算　➡️　平均誤差の平均が
ほしかったエラー

番号
1　2　3 ・・・・・・・・・・・・・・・・・・・・・・・・・・・・・・・ N
データ

34	11	9		52

↓ *k*通りに分割

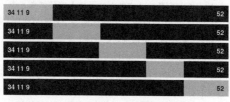

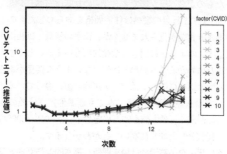

▶統計学・機械学習の基礎
01 | 一次分析と可視化

2011年米国住宅価格データを用い、一次分析の例を見てみましょう。
米国住宅価格データは全米の住宅価格（約5万件）とそれに関係しそうな特徴量150程度をまとめたものです。データを最初に入手したら欠損値や異常値の有無と同時に変数の種類やスケールを把握するのが定石です。今回のように特徴量が多いデータの場合、Pandas（4章4節）ではdescribe関数を用いて、平均、標準偏差、最小値、25、50、75分位数点など変数の基本的な統計量を確認できます。本データはカテゴリ変数が多いので平均や標準偏差は意味がありませんが、表のように数値変数に対しては有効に機能します。

データ内の数値変数をいくつか見てみましょう。LOGVALUE（住宅価格の対数をとったもの）、BUILT（建造年）、LOT（土地面積）、UNITSF（住宅面積）、CLIMB（階数）の5つのヒストグラムと散布図を描いたものが右ページ図です（変数の意味は右ページ③でも確認できます）。まず1行目の縦軸は住宅価格をあらわしたものです。建造年とはあまり相関が見られませんが、ほかの変数とは相関があるように見えます。本データに関して全般的にもいえることですが、1行4列目を見ればわかる通り線形とは呼べないような関係があることも見えます。土地面積に関してはデータが低い値に偏っていることがわかります。実際基礎統計量を見てみても標準偏差（分散のルートを取ったもの）が高く、最大値も93万平方フィート（2万6000坪～サッカーコート10枚分）と非常に高いことがわかります。

このようにデータの基礎統計量を把握し基本的な作図をすることでデータの概要をつかむことを一次分析と呼びます。

30秒でわかる！ ポイント

全米住宅価格データによる一次分析の例

df.describe()の結果：主な数値変数

	LOGVALUE	BUILT	LOT	UNITSF	CLIMB
Count	51759	51759	51759	51759	51759
mean	12.074647	1970.8833	44455.221	2326.2591	1.9769155
Std	1.0063916	25.521582	114619.33	1910.6273	0.4815761
min	0.6931472	1919	200	99	0
25%	11.561716	1950	6000	1400	2.0119522
50%	12.100712	1975	11000	2000	2.0119522
75%	12.611538	1990	43925.934	2500	2.0119522
max	15.476535	2011	933185	20159	21

Countはデータ数、
meanは平均、
stdは標準偏差、
minは最小値、
25,50,75%は分位数点、
maxは最大値

図
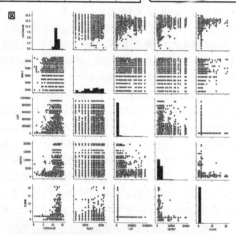

米国住宅価格データは下の①でも使用されたもので
②からダウンロードできます。

① Sendhil Mullainathan and Jann Spiess, Machine Learning:
An Applied Econometric Approach, Journal of Economic
Perspectives, Vol 31, Number 2, Spring 2017, pages 87-106.
② https://www.aeaweb.org/articles?id=10.1257/jep.31.2.87
③ https://www.census.gov/data-tools/demo/codebook/ahs/
ahsdict.html

▶ 統計学・機械学習の基礎
02 | 線形回帰

　ここでは全米住宅価格データに対して住宅価格を予測する**線形回帰（重回帰）分析**を行います。線形回帰分析とは**ターゲット変数と特徴量を線形関数で結んだもの**です。

$$y = \beta_0 + \beta_1 X_1 + \beta_2 X_2 + \cdots + \beta_p X_p$$

ここで y はターゲット変数、β は係数、$X_{1:p}$ は各特徴量をあらわします。線形回帰モデルの場合は線形代数でパラメータを推定することもできますが、ここではもっと一般的に損失を平均二乗誤差とし次式を最小化するようにパラメータを定めます。

$$MSE_{train} = \frac{1}{|train|} \Sigma_{i \in train} (y_i - \beta_0 - \Sigma_{j=1}^{p} \beta_j X_{ij})^2$$

　本章では加法モデル（11章5節）との比較を意識し、数値変数である15個の特徴量のみを用います。またモデルの予測精度は交差検証法で計算することも可能ですが、5割を訓練データとし、残りをテストデータとして、テストデータにおける平均二乗誤差で測るものとします。本モデルの場合、テストエラーは0.828となりました。この値が他モデルとの予測精度を測る際のベンチマークとなります。

　右ページの表は推定された各変数の係数をあらわします。線形回帰の場合、一般的に係数の有意性（各係数が0から十分に離れているかどうか）は t テストと呼ばれる検定手法を用いて行います。

　ここで結果を見てみると、BUILT、UNITSF、BUSPER、FLOORS、NUNITS、ROOMS、HOWH、NUMCOLD、NUMSEW が5％水準で有意、つまり価格と関係性をもつと判定されます。変数の符号も「建造年（BUILT）が新しいほど値段は高くなる」など直感的にも整合的であることがわかります。この**わかりやすさが線形回帰のミソ**です。

30秒でわかる！ ポイント

線形回帰により推定された各変数の係数

特徴量	推定値	標準偏差	t 値	p 値	...
切片	7.096e+00	8.888e-01	7.985	1.47e-15	★★★
BUILT（建造年）	1.522e-03	2.491e-04	6.108	1.02e-09	★★★
LOT（土地面積）	-6.723e-08	5.002e-08	-1.344	0.1790	
UNITSF（住宅面積）	4.536e-05	3.407e-06	13.314	< 2e-16	★★★
CLIMB（玄関の階数）	-2.282e-02	1.219e-02	-1.872	0.0612 .	
BUSPER（商用私用比率）	8.601e-02	9.790e-03	8.785	< 2e-16	★★★
FLOORS（住居の階数）	2.855e-02	6.255e-03	4.565	5.02e-06	★★★
EXCLUS（商用部屋数）	4.325e-03	1.237e-02	0.350	0.7265	
WHNGET（購入年）	-4.202e-06	4.712e-04	-0.009	0.9929	
NUNITS（建物内のアパート数）	2.310e-03	4.166e-04	5.546	2.95e-08	★★★
ROOMS（部屋数）	1.860e-01	4.000e-03	46.508	< 2e-16	★★★
HOWH（住宅環境指数）	8.866e-02	4.071e-03	21.777	< 2e-16	★★★
NUMCOLD（暖房設備ダウン回数）	-3.920e-02	1.713e-02	-2.288	0.0221	★
NUMDRY（水道トラブル発生回数）	-1.723e-02	2.095e-02	-0.822	0.4109	
NUMSEW（下水トラブル発生回数）	-5.469e-02	2.730e-02	-2.004	0.0451	★
NUMTLT（トイレトラブル発生回数）	3.359e-02	2.868e-02	1.171	0.2416	

有意水準コード	0 '***'	0.001 '**'	0.01 '*'	0.05 '.'	0.1 ' ' 1

注意点！

●係数の有用性は、一般的にtテスト（いくつかの仮定のもとでその係数が有意かどうか判定する方法）で行う
●10章4節でも言及した通りモデルは簡単なモデルから推定していくのが基本

▶ 統計学・機械学習の基礎
03 | 正則化

　前節の線形回帰モデルを適用する際に統計学では**共線性**を気にする
ようによく注意されます。共線性とは、線形回帰において特徴量間の
相関が強すぎる状況を指します。仮に$X_2 = X_1$などと特徴量が強い相
関をもつ場合、前節の線形回帰モデルは次のように書き換えることが
可能になります。

$$y = \beta_0 + \beta_1 \boldsymbol{X_1} + \beta_2 \boldsymbol{X_1} + \cdots + \beta_p X_p$$

たとえば$\beta_1 = 1$、$\beta_2 = -0.5$と$\beta_1 = -0.5$、$\beta_2 = 1$の場合で式の意味がまっ
たく同じになってしまいます。

　何が問題なのかというと、このようなモデルで損失関数を最小化し
ようとしても、解が一意に定まらなくなります。この問題を回避する
には共線性が疑われる変数の1つを外すなどの方法もありますが、強
引に係数の組み合わせが一意になるように**ペナルティ項を足す**手法も
取られます。

$$MSE_{train} = \frac{1}{|train|} \sum_{i \in train} (y_i - \beta_0 - \sum_{j=1}^d \beta_j X_j)^2 + \lambda \sum_{k=0}^d |\beta_k|^p$$

　このように損失関数にパラメータに関するペナルティ項を入れるこ
とを**正則化**と呼び、線形回帰の場合$p=1$なら Lasso 回帰（L1正則
化）、$p=2$なら Ridge（L2正則化）回帰などと呼ばれます。

　正則化は上記で説明した共線性の問題を緩和するだけでなく、過学
習を防ぐ効果もあります。実際今回の例に対して Lasso 回帰を行う
とテストエラーも0.8281（線形回帰は0.8282）と本当にわずかですが
減少することになります。

　正則化は線形回帰以外でも広く用いられる**過学習を防ぐテクニック
の1つ**なのでぜひ覚えておいてください。

30秒でわかる！ ポイント

正則化で共線性の問題と過学習を防ぐ

共線性
線形回帰において
特徴量間の相関が強すぎる状況

解が一意に定まらなくなる

正則化
パラメータに制約を与える

①共線性の問題を回避
②過学習を防ぐ

▶統計学・機械学習の基礎
04 局所線形回帰とスプライン法

　線形回帰だけでは変数間の相関関係を十分にモデリングできないときがあります。たとえば右図1の場合、X軸とY軸は楕円で囲まれた点を除き無相関になるように生成されたデータです。このデータに対して何も考えずに線形回帰を当てはめると実線のように推定されます。全体的に線形相関があるように見えますがこれは間違いです。

　こうした問題を回避するためにX軸をいくつかの等間隔に分けていくつかの線形回帰で推定する手法を**局所線形回帰**と呼びます。局所線形回帰は、適切な制約条件を入れれば図2のように局所的には綺麗に線形でデータを近似できます。

　局所線形回帰に対してもう少し柔軟性をもたせようと、各領域に対して3次元多項式でフィッティングしたものを**キュービックスプライン**と呼びます。一般的にこうした手法を**回帰スプライン法**と呼びます。詳細な数学的導出は省きますが3つの領域に分ける場合、

$$h_1(X)=1, h_2(X)=X, h_3(X)=X^2, h_4(X)=X^3, h_5(X)=(X-\xi_1)^3_+ ,$$
$$h_6(X)=(X-\xi_2)^3_+ \quad y \sim \Sigma_{i=1}^6 \beta_i h_i(x)$$

と領域数×(次数+1) − 次数×境界数=3×4−(3×2)=6個の基底(h_i)の回帰式の問題に変換することができ、あとは線形回帰と同じ手法でパラメータを推定することができます。

　回帰スプラインの場合は境界線を事前に定める必要があります。数式的に難解なので詳細は省きますが境界線を恣意的に定める方法を回避した平滑化スプラインと呼ばれる手法もあります。最初の問題に戻り**平滑化スプライン法**でYとXの関係をあらわしたものが図3です。図1の楕円の領域を除き両変数は無相関になっています。

30秒でわかる！ポイント

線形回帰の推定間違いを回避する

図1

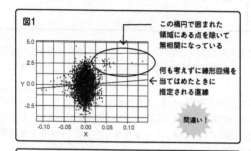

この楕円で囲まれた
領域にある点を除いて
無相関になっている

何も考えずに線形回帰を
当てはめたときに
推定される直線

間違い！

図2　局所線形回帰

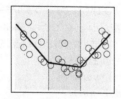

綺麗に局所的に
データを近似できる

図3　平滑化スプライン法

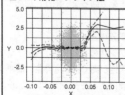

図1の楕円で
囲んだエリアを除いて
両変数は無相関に
なっていることがわかる

▶ 統計学・機械学習の基礎
05 | 加法モデル

加法モデルとはいくつかのノンパラメトリックな部分反応関数の和でターゲット変数を予測するモデルです。次のように書きます。

$$y \sim \beta_0 + \Sigma_{j=1}^{p} f_j(x)$$

ここでβ_0は定数項、f_iはi番目の部分反応関数です。この部分反応関数には一般的には前節で見たスプライン法を用います。またこのように部分的にノンパラメトリックになっているモデルを**セミパラメトリックモデル**と呼びます。

加法モデルを用いる理由としてバリアンスが線形回帰モデルに比べてもそこまで大きくないことがあげられます。つまり**データ数が比較的少なくても安定して推定可能**だということです。詳細は省きますが線形回帰モデルのバイアス－バリアンス分解はO－記法を用いると①に、加法モデルは②のようになります。

① $MSE_{lin} = Bias_{lin}^2 + O(n^{-1}) + noise$
② $MSE_{add} = Bias_{add}^2 + O(n^{-\frac{4}{5}}) + noise$

ここでnはデータ数です。つまり、③線形モデルと加法モデルの近似誤差の差が④バリアンスの差を上回らない限り、加法モデルを用いたほうがよいことになります。

③ $(Bias_{add}^2 - Bias_{lin}^2)$…近似誤差の差
④ $(O(n^{-\frac{4}{5}}) - O(n^{-1}))$…バリアンスの差

このモデルは線形回帰など解釈性が高く推定も非常に簡単なモデルと12章以降の複雑なモデルの中間にあるモデルです。

30秒でわかる! ポイント

加法モデルの特徴

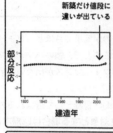

新築だけ値段に
違いが出ている

部分反応

建造年

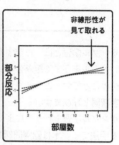

非線形性が
見て取れる

部分反応

部屋数

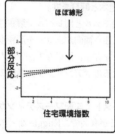

ほぼ線形

部分反応

住宅環境指数

加法モデルの特徴
①線形回帰より柔軟
②バリアンスが低い
③解釈性が高い

 ちょこっと解説!

全米住宅価格においては予測精度は0.79と線形回帰に比べいく分か改善
します。また部分反応関数を作図することによりターゲット変数と各特
徴量の関係を視覚的に確認することもできます。部屋数と価格の関係に
顕著ですが加法モデルを利用することで非線形な関係がうまくとらえら
れているのがわかります。こうした解釈性の高さも加法モデルを用いる
理由としてあげられます

01 ▶ 統計学・機械学習の基礎
アンサンブル学習とは

アンサンブル学習とは、推定するのが簡単でさほどパフォーマンスが出ないモデルをうまく組み合わせることで、強いパフォーマンスを出す手法のことです。このあまりパフォーマンスが出ないモデルのことを**弱学習器**と呼びます。

アンサンブル学習を行う際によく弱学習器として選ばれるのが木と呼ばれる手法です。木は**回帰問題を対象とする場合は回帰木**と呼び、**13章のように2値を扱う場合は決定木**と呼びます。

木をベースにした手法は線形回帰モデルと同レベルで解釈性があるモデルですが、容易に過学習してしまう傾向があり、予測精度となるとパフォーマンスは出ません。それを非常に簡単な方法で組み合わせることにより、**驚くほど精度を出せるのがアンサンブル学習のミソ**です。

実際、本章で学ぶ**ランダムフォレスト**や**勾配ブースティング**はその簡単さに比べ精度が非常に出ることが有名で、Kaggle などのデータコンペティションにおいても多用されている手法です。うまく使えばみなさんもデータコンペティションで賞金を稼げるかもしれません。

本章ではまず弱学習器である回帰木の説明から始め、ランダムフォレストと勾配ブースティングを理解することを目標とします。決定木の説明は紙幅の都合上割愛しますがほとんど回帰木と同じ手法です。またそれぞれのモデルの解釈性についても言及していきます。

本章でも2011年全米住宅価格データを用います。

30秒でわかる！ ポイント

うまく組み合わせれば素晴らしいものに！

| アンサンブル学習 | … | 弱学習器を組み合わせることで
予測精度が高いモデルを
つくること |

データコンペティションでも
広く使われています

▶ 統計学・機械学習の基礎

02 | 回帰木

　回帰木とは特徴量を用い、データをいくつかのグループに分割して**そのグループの平均値を予測値にする**手法です。たとえば住宅価格をROOM（部屋数）とHOWH（住宅環境）で予測するとします。この際に一番単純な予測は、特徴量の情報を一切使わず訓練データの平均値を予測とすることです（図1）。これが出発点になりこの状態の二乗誤差は1.014になります。

　次に各特徴量の情報をもとにデータを2分割してみます（図2）。今回の例の場合、特徴量は2つしかないので平均二乗誤差の増減は図3のように2枚の図で簡単にまとめることができます。この結果、部屋数が6.5年あたりで2分割すると最も二乗誤差が小さくなることがわかります。その結果として分割したのが図4です。図4の状態の二乗誤差は0.91なので分割前よりよくなっていることがわかります。これを繰り返すことで**回帰木がつくられます**。図5に4回分割したあとの結果を載せておきます（二乗誤差は0.868です）。

　図5の時点で学習できた木が図6になります。木を見れば部屋数が4以下の住宅が全体的に低価格で、最も高いのは部屋数が9以上の住宅ということがわかります。部屋数が5以上6以下の住宅に関しては住宅環境が関係してくるということも読み取れ、住宅環境指数が7以上かそれ以下かで住宅価格に隔たりがあることがわかります。このように**回帰木はきわめて解釈性が高く、線形回帰ではとらえられない関係を抽出することも可能**です。回帰は二乗誤差の改善度合いがある程度まで小さくなったら止めるのが一般的ですが、これだと過学習しやすいため、交差検証法などを用いて木を剪定する手法もあります。

30秒でわかる！ポイント

回帰木をつくる手順

図1 全体平均で予測
誤差1.014

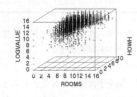

図2 各変数に直行する形で
データを分割し二乗誤差が
最小になる場所を探す

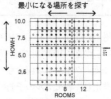

図3 平均二乗誤差の増減

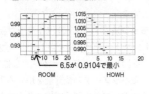

6.5が0.9104で最小

図4 最初はROOM<6.5で分ける

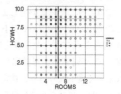

図5 4分割後

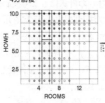

図6 4分割後の木

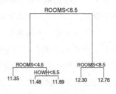

ワンポイントアドバイス

150変数にすると、住宅の種類、地域、住宅面積などが関係することも
わかるようになる。その場合のテストエラーは0.615

03 ▶ 統計学・機械学習の基礎
ブートストラップ法と
バギング

　回帰木の問題点としてバリアンス（データセット間における推定結果のばらつき：10章参照）が高いことがあげられます。

　仮にデータセットを何度もサンプリングし、各データセットで回帰木を推定し、各モデルの予測の平均値を予測値として使えたらどうでしょう。実はこの予測値は単体の回帰木よりもよくなることがわかっています。しかし、現実にはデータセットは1つしかもっていません。それではどうしたらよいでしょうか？

　ここで用いるのが**ブートストラップ法**です。ブートストラップ法とはN個ある元データから復元サンプリング（重複を許したサンプリング）でN個データを抽出し、抽出した標本でパラメータを推定、それをいく度も繰り返し、推定したパラメータの統計量を用いる手法です。一見、単純な手法に見えますが、交差検証法同様に非常に有効で、パラメータの信頼区間（不確実性）の計算にもよく使われます。

　バギングとはこのブートストラップ法と同じアイデアを用い擬似的に作成したデータセットに対して、回帰木を適用し各モデルの予測の平均値をモデルの予測とするものです。f^bを各データセットにおける回帰木の推定値とし、B個擬似的にデータセットを作製した場合、バギングの推定値は次のように書けます。

$$f_{bagging}(x) = \frac{1}{B} \sum_{b=1}^{B} f^b(x)$$

　たったこれだけのアイデアなのですが今回のケースでも0.584（右ページ下の[1]の論文同様に150個の特徴量を用い$B=1000$とした場合）と回帰木に比べ予測精度は向上します。このようにして**予測精度を上げるのがアンサンブル学習のミソ**です。

30秒でわかる！ ポイント

ブートストラップとバギングのやり方

ブートストラップ法

元データ

データ番号	X	Y
1	3.3	2.4
2	2.4	-1.3
3	-3.4	4.3
4	0.2	2.2
5	-0.4	1.1

[やり方]
1. N個ある元データから復元サンプリングでN個データをサンプリング
2. サンプリングした各データでモデル推定
3. それを何度も繰り返し推定結果の平均値などを取る

復元サンプリング

データ番号	X	Y
3	-3.4	4.3
2	2.4	-1.3
3	-3.4	4.3
4	0.2	2.2
2	2.4	-1.3

復元サンプリング

データ番号	X	Y
1	3.3	2.4
2	2.4	-1.3
2	2.4	-1.3
4	0.2	2.2
1	3.3	2.4

パラメータ θ_1

パラメータ θ_2

推定結果の統計値を取る

予測精度アップ⤴

バギング
復元サンプリングで作成したデータに対して回帰木を適用。
そのモデルらの予測の平均値を予測値とする 😊

★ 論文[1] Sendhil Mullainathan and Jann Spiess, Machine Learning:
An Applied Econometric Approach, Journal of Economic
Perspectives, Vol 31, Number 2, Spring 2017, pages 87-106.

▶統計学・機械学習の基礎
04 ランダム フォレスト

ランダムフォレストはバギングを少し拡張した方法です。バギングの問題として標本ごとの推定結果が似通ってしまうというものがあげられます。この点に注目し、標本ごとに回帰木を推定する際に使用する**変数もランダムに選ぶのがランダムフォレスト**です。データセットに特徴量の数がp個あった場合、一般的に$\sqrt{p}$個の変数を選ぶとよい結果が得られるといわれています。

全米住宅価格に関してランダムに$\sqrt{p}$個変数を選びランダムフォレストを構築してみましょう。予測精度は0.498と**バギングに比べ精度がよくなります**。

回帰木の場合、分割した際にどれくらい残差平方和が減少したかにもとづいてその変数の重要さを判定するのが一般的です。

ランダムフォレストでも同様に、**推定結果ごとに重要さを計算し、その平均値を変数の重要さと判定**することが多いです。本章で扱っているデータに対して各変数の重要性を測定したものを右ページに掲載しておきます。ランダムフォレストによればREGION（地域）とUNITSF（住宅面積）の寄与度が高いことがわかります。

ランダムフォレストは加法モデルのようにターゲット変数が各変数の影響の線形和であらわされるものではないので解釈には注意が必要ですが、モデルの解釈のため変数ごとに部分反応関数を描くこともあります。一般的にこれを**部分従属**（Partial dependency）**プロット**と呼びます。

30秒でわかる! ポイント

全米住宅価格のランダムフォレスト

ランダムフォレストによる各変数の重要度

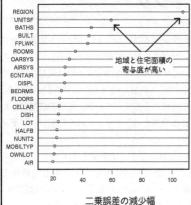

REGION：地域
UNITSF：住宅面積
BATHS：浴室数
BUILT：建造年
FPLWK：暖炉の有無
ROOMS：部屋数
OARSYS：暖房以外の空調設備の有無
AIRSYS：暖房設備が空調設備としての
　　　　機能をもつか
ECNTAIR：環境ラベリング制度の
　　　　基準を満たす
　　　　中央空調設備か否か
DISPL：ゴミ捨て場の有無
BEDRMS：ベッドルームの数
FLOORS：何階建てか
CELLAR：地下室の有無
DISH：ディッシュウォッシャーの有無
LOT：敷地面積
HALFB：シャワーだけの浴室の有無
NUNIT2：住宅形態（その他）
MOBILTYP：1人用か2人以上か
OWNLOT：敷地のオーナーか否か
AIR：空調設備の有無

↑
★変数の定義は
https://www.census.gov/
data-tools/demo/codebook/
ahs/ahsdict.htmlで確認可能

ランダムフォレストモデルが予測した部屋数の住宅価格に対する部分従属プロット

11章5節の図と
比較してみよう!

▶ 統計学・機械学習の基礎

05 勾配 ブースティング

　これまで見たバギングやランダムフォレストは、ブートストラップによって擬似的に再構成した標本に対して回帰木を推定していくものでした。それに対して、いく度も回帰木を推定するのは同じなのですが、ターゲット変数から各回帰木の推定結果を少しずつ引いていき、その残差に対して繰り返し回帰木を推定していき、**最終的に推定した回帰木の結果を組み合わせる**手法もあります。これを**勾配ブースティング**といいます。

　具体的手順は右ページのとおりです。まず残差 (r) を出力変数の値に初期化し、rに対してd分割の回帰木をフィットした結果を$f^1(x)$とします。次に残差を$r \leftarrow r - \lambda f^1(x)$と更新し、あとは同様の手順を繰り返します。ここで$\lambda$を縮小 (shrinkage) 項といいます。$\lambda$が低すぎると作成する回帰木の数を増やさなければいけないのに対して、高すぎると少ない回帰木で近似することになりアンサンブル学習のよさが失われます。一般的には0.01か0.001にすることが多いです。勾配ブースティングのポイントは**比較的浅い回帰木を繰り返し学習することで少しずつ推定精度を上げていくこと**で、dは2〜4と比較的低い値にすることが多いです。

　ただ、ランダムフォレストと違い、木の最大数Bが大きすぎると**過学習する傾向があります**。一般的には交差検証法でBの値を決めます。

　右ページに全米住宅価格データに関してブースティング ($d=4, \lambda=0.001, B=15000$) を構築してみましょう。予測精度は0.498とランダムフォレストと同様の精度が出ていることがわかります。変数の寄与度はランダムフォレストと同様に求めることができます。

30秒でわかる! ポイント

手順と全米住宅価格の勾配ブースティング

勾配ブースティングの手順

| ステップ1 | まず残差を被説明変数の値に初期化する
$r = y$ |

| ステップ2 | r に対して d 分割の回帰木をフィットした
結果を $f^1(x)$ とする |

| ステップ3 | $r \leftarrow r - \lambda f^1(x)$ と更新する
λ はshrinkage |

| ステップ4 | r に対して d 分割の回帰木をフィットした
結果を $f^2(x)$ をとする |

| ステップ5 | $r \leftarrow r - \lambda f^2(x)$ と更新する |

⋮　　　同様に繰り返す

勾配ブースティングによる各変数の重要度

> 12章4節の図と
> 比べてみよう!

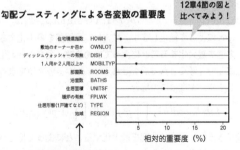

住宅環境指数	HOWH
敷地のオーナーか否か	OWNLOT
ディッシュウォッシャーの有無	DISH
1人用か2人以上か	MOBILTYP
部屋数	ROOMS
浴室数	BATHS
住居面積	UNITSF
暖炉の有無	FPLWK
住居形態(1戸建てなど)	TYPE
地域	REGION

相対的重要度 (%)

↑
150個の特徴量の中で
最も重要とされる上位10個

13 分類問題

▶ 統計学・機械学習の基礎
01 ロジスティック 回帰

　ロジスティック回帰とは、出力変数が2値（0か1）のデータを自然にモデリングするため、0および1があらわれる確率値が出力となるように**線形回帰モデルを拡張**したものです。

　無論わざわざ拡張しなくても、図1のように線形回帰をあてはめることもできます。しかしこれだと予測の際に-0.3や1.3など、そもそも確率ではない値を出力することになります。それに対して、図2のように予測できたとしたら、「確率pで1である」など直感的にも納得のいく説明が可能になります。**この確率を推定する手法をロジスティック回帰と呼びます。**

　ロジスティック回帰では、この確率を線形モデル

$$p(Y=1|X) = \beta_0 + \beta_1 X_1$$

ではなく、

$$\mathrm{sigm}(x) = \frac{e^x}{1+e^x} \quad ① \qquad p(Y=1|X) = \mathrm{sigm}(\beta_0 + \beta_1 X_1) \quad ②$$

とすることによって推定します。推定は二乗誤差を最小化するのではなく、**尤度を最大化することによって**求めます。尤度の最大化はデータを生成したと考えられる最もそれらしいパラメータ値を求めることに対応します。尤度はこの場合、

$$Likelihood(\theta) = \prod_{i=1;y_i=1}^{N} p(y_i|x_i,\theta) \prod_{j=1;y_j=0}^{N} (1-p(y_j|x_j,\theta))$$

と定義できます。図2は尤度を最大化することによって得たパラメータで推定した結果となります。うまく値が0〜1に収まっていることがわかります。

30秒でわかる！ ポイント

線形回帰モデルを拡張すると？

図1　線形回帰（拡張しなかった場合）

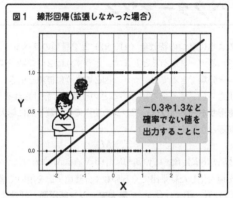

-0.3や1.3など
確率でない値を
出力することに

図2　ロジスティック線形回帰

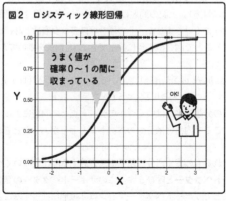

うまく値が
確率0〜1の間に
収まっている

OK!

13 分類問題

▶ 統計学・機械学習の基礎

02 | 線形サポート ベクターマシン

　図1のように2つの特徴量（x1、x2）と2種類のラベル（○と△）で構成されるデータがあるとします。どうすれば2つの特徴量を用いてラベルを分類できるでしょうか。図2のように直線を引き、この線よりも上なら○、そうでないなら△というふうに分けられそうです。これが**線形サポートベクターマシン**の要点です。数学的に極大化問題は次と同等となります。

$$\max_{\beta_0, \beta_1, \beta_2} M$$

$$subject\ to\ \sum_{j=1}^{2}\beta_j^2=1,\ y_i(\beta_0+\beta_1 x_{i1}+\beta_2 x_{i2}) \geqq M,\ \forall i=1,...,n$$

　これを極大化した結果出てくる係数や分離超平面を用いて構成する関数 $f(x)=\beta_0+\beta_1 x_1+\beta_2 x_2$ を**最大マージン超平面**と呼びます（図2の実線に対応）。上記の問題は完全に分離する直線（超平面）がない場合はうまくいきません。その場合は**スラック変数**と呼ばれるものを定義することで図3のように推定できます。数式を書いておきます。

$$\max_{\beta_0, \beta_1, \beta_2, \varepsilon_1,...,\varepsilon_n} M$$

$$subject\ to\ \sum_{j=1}^{2}\beta_j^2=1,\ y_i(\beta_0+\beta_1 x_{i1}+\beta_2 x_{i2}) \geq M(1-\varepsilon_i),$$

$$\varepsilon_i \geqq 0, \sum_{i=1}^{n}\varepsilon_i \leqq C,\ \forall i=1,...,n$$

　実はこの分離超平面はいくつかのデータ点との内積によって表現できます。ここで内積とは2つのベクトル x と y があったときに、

$$<x, y> = \sum_{i=1}^{p}x_i y_i$$

で定義されるものです。分離超平面を定義する際に使ういくつかの点を**サポートベクター**と呼びます。このサポートベクターの発想をうまく使うことでサポートベクターマシンは非線形に拡張することができます。次節で見てみましょう。

30秒でわかる! ポイント

2つの特徴量を用いてラベルを分類する

図1

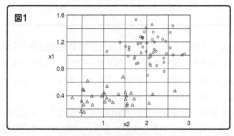

図2

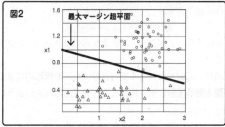

最大マージン超平面

図3　線形のサポートベクターマシンの推定結果

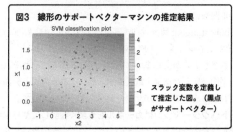

スラック変数を定義して推定した図。（黒点がサポートベクター）

▶ 統計学・機械学習の基礎

03 | サポートベクターマシン

　図1のような問題を考えてみましょう。特徴量の関係が非線形であるため、13章2節の**線形サポートベクターマシンでは解けません**。それでも強引に線形で分けたものが図2です。まったくうまくいってませんよね。それではどうしたらよいのでしょうか?

　前節でも説明した通り分離超平面はいくつかのデータ点との内積によって定義することができます。つまり、13章2節の線形問題の場合は次のように書けます。

$$f(x) = \beta_0 + \Sigma_{i \in s} \alpha_i \Sigma_{j=1}^2 x_j x_{ij}$$

　ここでsはサポートベクターに含まれるデータ点のインデックスをあらわします。

　この2項目の部分を**カーネル関数**と呼ばれる**非線形的に2つのベクトルの距離を測る**関数に置き換えます。数式的には次のようになります。

$$f(x) = \beta_0 + \Sigma_{i \in s} a_i K(x, x_i)$$

　カーネル関数には、

Hyperbolic tangent カーネル($K(x_i, x_j) = \tanh(v + \Sigma_{k=1}^p x_{ik}, x_{jk})$ や Gaussian カーネル($K(x_i, x_j) = \exp(-\gamma \Sigma_{k=1}^p (x_{ik} - x_{jk})^2)$)

などさまざまなものがあります。実際、図3と図4にそれぞれのカーネルで超平面推定した結果を載せます。それぞれきちんと分類できているのがわかります。これがサポートベクターマシンです。

　サポートベクターマシンはカーネルをうまく設計してやらなければいけません。そのため図3と図4のようにいくつかのカーネルで試すのが一般的です。

30秒でわかる！ ポイント

特徴量の関係が非線形のときはカーネルで解く

図1

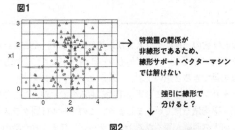

→ 特徴量の関係が
非線形であるため、
線形サポートベクターマシン
では解けない

強引に線形で
分けると？

図2

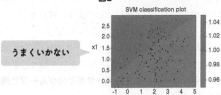

うまくいかない

カーネルで超平面推定

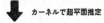

図3　　　　　　　　　**図4**

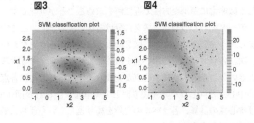

14 教師なし学習

▶統計学・機械学習の基礎

01 | K－平均法

　教師なし学習の一種にクラスタリングがあります。たとえば右ページの図1を見てください。特に何もラベル情報がなくても図5のような分類は納得できると思います。これがクラスタリングです。

　クラスタリングにはさまざまな手法があるのですが、ここでは最も簡単な**K－平均法**を見ていきましょう。このゴールは同クラスタ内のデータ点同士の距離が短くなるようにデータを与えられた数のクラスタに分類することです。数式的には次のように書けます。

$$\min_{C_1,...,C_K} \left\{ \sum_{i=1}^{K} \frac{1}{|C_i|} \sum_{i,i' \in C_i} \sum_{j=1}^{p} (x_{ij} - x_{i'j})^2 \right\}$$

　ここで C_i は i 番目のクラスタ、x_{ij} はデータ i の j 番目の軸の値（右の例では2次元まであります）、K は総クラスタ数とします。この**関数の値が最も低くなるように、各データがどのグループに属するか決めるのがゴール**です。

　アルゴリズムとしては、この問題は8章4、5節で見た組み合わせ最適化と同種の問題です。つまり総当たりで上式を最小化することが可能です。しかしそれだと膨大な時間がかかります。幸いK－平均法に関しては非常に簡単な方法で近似解を求めることが可能です。

　まずデータをいくつのクラスタに分けるかを決めます。ここでは3にしましょう。この数をもとに図2のようにラベルをランダムにつけます。次に各ラベルの点の中心点を計算してやります。そうすると図3の大きいラベルのように中心点が定まります。そして次に各点に最も近い中心点と同じラベルを塗り直してやります。これが図4です。あとは中心点の計算、各ラベルの更新を繰り返していくうちに最終的には図5になります。

30秒でわかる！ ポイント

K－平均法による近似解の求め方

図1　元データ

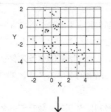

↓

図2　ラベルを
ランダムにつける

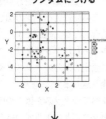

↓

図3　中心点を定める

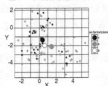

↓

図4　ラベルを塗り直す

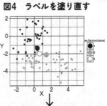

中心点の計算、
各ラベルの更新を繰り返す

↓

図5　収束後

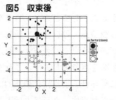

注意点！

この結果は初期値の影響を受けます。必ずしも左ページ式を最小化する解が見つかるわけではないので、いくつかの初期値を試すことが重要です

14 教師なし学習

▶ 統計学・機械学習の基礎
02 階層的
クラスタリング

　データのクラスタリングには、前節のK−平均法以外にも一つひと
つのデータを近接するデータと結合していくことで、ボトムアップに
クラスタリングする手法もあります。これを**階層的クラスタリング**と
いいます。前節と同じデータを用い、階層的クラスタリングの概要を
見ていきましょう。

　階層的クラスタリングでは、まず最初にクラスタ数をデータ数と同
じに設定し、一つひとつのデータがそれぞれのクラスタに属している
とします。次にクラスタ同士の距離をすべて計算し、最も距離が近い
2つのクラスタを1つに結合します。この時に右ページの図2のよう
に距離を高さとしてどのクラスタを結合したか記録します。この図を
デンドログラムと呼びます。新しくつくられたクラスタはクラスタ内
のデータの中心点を代表点とし新たに設定し残りのクラスタやデータ
点との距離を再計算します。これを繰り返します。

　図3に見られるように、最終的にすべてのクラスタは1つのクラス
タに結合されます。クラスタは1ステップごとに1つずつ結合してい
くのでクラスタ数が3つ必要なら右ページの例の場合、高さ1.6のと
ころまで戻ればよく、その結果は図4のようになります。前節のK−
平均法と同じような結果になっていることが確認できると思います。
階層的クラスタリングではクラスタは階層（**入れ子**）構造になってい
るという前提があります。たとえば距離が住宅価格と住宅の空間的距
離の2つの重みで計算されている場合、価格の近似度で結合されたク
ラスタを次のステップで空間的距離で結合することになるなど、**必ず
しも解釈のしやすいクラスタにならない可能性があります。**

30秒でわかる！ ポイント

階層的クラスタリングの手順

図1　最初のステップ

この2つを1つに

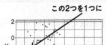

クラスタ数をデータ数と
同じに設定し、
最も近い2つを1つにする

図2　デンドログラム

0.052
（高さ）

69　74

距離を高さとして
どのクラスタを結合したか記録

図3　最終的なデンドログラム

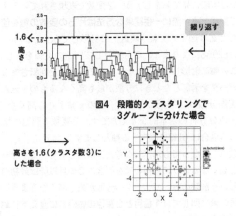

1.6←
高さ

繰り返す

高さを1.6（クラスタ数3）に
した場合

**図4　段階的クラスタリングで
3グループに分けた場合**

▶ 統計学・機械学習の基礎

03 | 主成分分析

　主成分分析とは**多変数のデータを小変数で表現し直す**手法です。これを一般的に**次元削減**と呼びます。元の変数に相関関係がなければ有効な手法ではありませんが、株価の時系列など変数の数に比べばらつきを生む主要因が少ないときには非常に有効な手法になります。ここでは主成分分析の概要を見ていきます。

　視覚的にとらえられるようにまずは図1の通り2変数の問題を考えます。われわれの目的は、これを1つの変数で表現し直すことです。データ分析の目的によりますが、主成分分析の場合、**ばらつき（分散）を多く説明しているものがよいもの**とされます。

　それでは実際に見てみましょう。2変数で表現されているデータを1変数で表現し直す際に**一番簡単な方法は片方の変数の軸を使うこと**です。たとえば図1のx軸（破線）に射影してみましょう。この場合分散は820.58になります。これに対して図1の実線を新しいp1軸としてこの軸に射影してみましょう。この線は軸を回転させながらその軸にデータを射影したときに分散が最も高くなるものを選んだものです。実際分散は1109.08になりデータのx軸よりも高くなります。これが主成分分析の基本的な考え方です。2変数の問題の場合、p2軸を定める場合はp1軸に直交する軸とします。

　3変数以上になっても基本的な考え方は同じです。まずデータの分散が最も高くなるように最初の軸を引き、2つ目以降は最初の軸に直交するという制限のもとでデータの分散が最も高くなるように軸を引き、最後の軸に関しては**1番目と2番目の軸両方に直交する軸**として自動的に定まります。

30秒でわかる！ポイント

主成分分析の考え方

図1

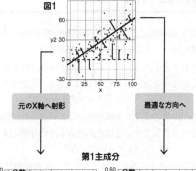

元のX軸へ射影　　　　　　最適な方向へ

第1主成分

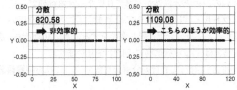

分散
820.58
➡ 非効率的

分散
1109.08
➡ こちらのほうが効率的

第2主成分

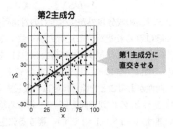

第1主成分に
直交させる

▶統計学・機械学習の基礎
04 | 主成分分析と特異値分解

主成分分析を数学的に見ることで特異値分解との関係を見てみましょう。数式を簡単にするため各データは標準化されているものとします（平均を0に分散を1に）。X をデータ行列（行がレコード、列が変数に対応）とすると共分散行列 Σ は次のように計算できます。

$$\Sigma := \frac{X^T X}{n-1} \quad \text{式1}$$

数学的な導出は省きますが主成分分析はこの共分散行列の固有値問題を解くことと一致します。そのため次のように分解できます。

$$\Sigma = V_p \Lambda V_p^T \quad \text{式2}$$

Λ は行列の斜め成分以外がすべて0になる対角行列で、V_p の各列は**固有ベクトル**と呼ばれるものになります。この行列を用いて $X V_p$ と掛け算すると主成分分析と同じ変換をすることが可能です。次元を削減する場合は V_p のいくつかの列だけを用います。

元の行列 X に対しても行列分解は可能です。これを**特異値分解**と呼びます。

$$X = U S V_s^T \quad \text{式3}$$

ここで S は斜め成分以外がすべて0の対角行列、U と V_s はユニタリ行列と呼ばれる転置行列と逆行列が一致する特殊な行列です。式（2）と（3）ですが Λ の対角成分に $(n-1)$ を掛けたものと S の対角成分の二乗は完全に一致します。また V_s と V_p は符号関係が一致しない可能性があることを除けば値は一致します。符号関係が一致しないのは U 行と V_s の列を両方に -1 を掛ける場合を想像すればわかると思います（$-1 \times -1 = 1$ です）。**要するに主成分分析と特異値分解は、数学的に似た問題を解いていることがわかります。**

30秒でわかる！ ポイント

主成分分析と特異値分解の関係

主成分分析は共分散行列の
固有値問題として解くことが可能

↓

$$\Sigma = V_p \Lambda V_p^T$$

主成分分析と特異値分解は符号が一致しない可能性を
除き基本的に同じになる。特異値分解で考えると元の
データ X を行列分解している様子がわかる

↓

$$X = USV_s^T$$

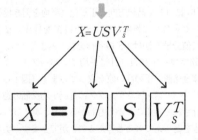

$$X = U \quad S \quad V_s^T$$

 ポイント

主成分分析と特異値分解は似た数学的問題を解いて
おり、特異値分解で見ると元のデータ X の行列分解を
していることがわかります

▶ 統計学・機械学習の基礎
05 | 特異値分解と株価分析

　特異値分解の応用として株価の対数収益率のデータを分析してみましょう。データはAPIなどを通じて簡単に集められます。ここでは2012年8月1日〜2017年3月31日全期間中に日本国内で上場している銘柄のみに絞って分析してみましょう（2048銘柄あります）。株価は元の価格ではなくて**対数収益率を用いて分析**します。p_{it}が銘柄iの時点の価格tをあらわすものとすると、銘柄の時点tの対数収益率は次式で定義されます。

$$r_{it} = \log \frac{p_{it}}{p_{it-1}}$$

　この$r_{i1}, ..., r_{iT}$に対して時間方向で正規化（平均を引き標準偏差で割る）したデータを各行に格納しデータ行列Xを作成します。これに先ほどの特異値分解をかけUSの各行を見てみましょう。USの第1行を見ると銘柄コード1571（日経平均インバース・インデックス）らを除きほぼ全銘柄が正の高い値を取っています（図1）。

　日経平均インバース・インデックスは日経平均株価の逆の動きになるように設計されていることからもわかる通り、第1成分はマーケット全体の動きをとらえていると考えることができます。実際第1成分の固有ベクトルを見るとこの時期のマーケットの動きに似た動きを見ることができます（図2）。

　同様に第4列の値が高い株は銘柄番号でいうなら8800〜9000です（図3）。これは不動産業界に対応します。第7列の値が高いのは銘柄コードで見ると1700〜1900番でこれは建設業界に対応しています（図4）。このように**複雑なマーケットに対して単純な線形分解でも割としっかりした洞察が得られる**ことがわかります。

30秒でわかる! ポイント

株価の対数収益率を使ったデータ分析

図1 第1固有ベクトルに対応するUS

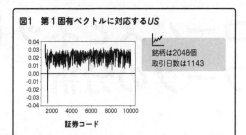

銘柄は2048個
取引日数は1143

証券コード

図2 第1固有ベクトル　　第1固有ベクトルの累積値

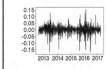

図3 第4固有ベクトルに対応するUS

第4固有ベクトルに対応する
USの値を証券コード順に並べたもの

図4 第7固有ベクトルに対応するUS

第7固有ベクトルに対応する
USの値を証券コード順に並べたもの

第 4 部

コーパスとネットワークの分析

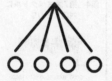

第 4 部　シラバス

総括　1章2節ではビッグデータの時代になり、さまざまなデータが入手できるようになってきたと述べました。新しく誕生したデータの種類を全部説明するのは紙面の都合上不可能なので、ここでは検索技術でも使われるコーパス（大量の文書群）の分析と、社会科学でも人気の高いネットワークデータの分析を見ていきます。

　第3部と比較すると内容が少し発展的ですが、使用している手法が根本的には14章で見たクラスタリングや行列分解に似ていることに気づくことができれば、それで充分です。

15章　最初にコーパスの分析はバッグオブワーズと呼ばれる行列を分解することで可能になると説明します。しかし単純に行列分解するだけでは結果の解釈しやすさに問題が出ることが経験的に明らかになっています。そこで15章5節で説明する、潜在ディリクレ配分法（LDA）に見られるように、確率的拡張をするのが一般的です。

　本章では簡単なコイントスモデルの例から始め、この拡張に必要な数学的予備知識を説明したあとに、トピックモデルの最も基本的な形であるLDAを理解することを目標とします。

　本章も実例がないと面白くないだろうということで、最後に内閣府が提供する景気ウォッチャー調査をLDAを用いて軽く分析してみます。

16章 ネットワークデータの分析を見ていきます。ネットワークとはノード（点）とノード間をつなぐエッジ（辺）によって定義されるデータ構造で、近年ますます注目が集まっているデータ構造です。

まずネットワークの基本的な定義から始め、検索エンジンで使われるページランクやソーシャルネットワーク分析で多用されるコミュニティ抽出について説明していきます。最後に14章と15章で使用してきた行列分解のテクニックを用い、ネットワーク上で、あるいはナレッジグラフ上で欠損しているエッジを補完する、リンク予測問題についてもふれていきます。

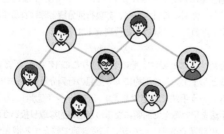

▶コーパスとネットワークの分析

01 バッグオブワーズと 非負行列分解

　大量の文書があるとしましょう。それは API で集めた国会議事録かもしれませんし、何年にもわたって集めたニュース記事なのかもしれません。この大量の文書の中にどのような話題の文章があるのか要約を得たいとします。

　この際によく使われるのが**バッグオブワーズを分析する手法**です。バッグオブワーズとは右ページの図のように各文書の単語の頻度を行列形式でまとめたものです。広辞苑に収録されている単語数は約25万といわれていますが、こうしたバッグオブワーズ行列は非常に巨大なものになります。また、スポーツの話題に宇宙関連の単語は関係ないことからもわかる通り、ほとんどの要素は0になります。このように値がほとんど0の行列のことを**疎行列**と呼びます。

　文書群の要約を得る際に、この疎行列を行列分解する手法がとられることもあります。14章4節で見た特異値分解も有効な手法で、その場合**潜在意味解析**と呼ばれます（右ページ下①）。また行列の各要素が正である性質に着目すると、**非負行列分解**と呼ばれる手法も適用できます。非負行列分解はある行列 X に対して、

$$X \sim WH$$

と行列分解することです。その名の通りここ W で H と X は同様非負であるとします。この制約により上記の行列分解は乗法的更新アルゴリズムという手法で推定できます（右ページ下②）。こうした行列分解の手法を用いる上で問題になるのが**確率的な取り扱いが困難**な点です。この問題を改善したのが、15章5節で紹介する潜在ディリクレ配分法（LDA）でトピックモデルと呼ばれるモデルの一種です。

30秒でわかる! ポイント

大量の文書群の要約を得る手法

バッグオブワーズ　… 文書群を単語の出現頻度の
行列で表現したもの

	単語A	単語B	単語C	単語D	単語E
文書1	1	3			
文書2	2				1
文書3			1		

X が非負(非負行列)なら W と H の非負と仮定を
おくことで次のように分解できる

$$X \sim WH$$

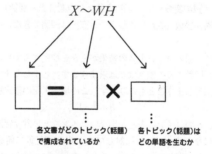

各文書がどのトピック(話題)　　　各トピック(話題)は
で構成されているか　　　　　　　どの単語を生むか

① S. Deerwester, Susan Dumals, G. W. Furnas, T. K. Landauer, R. Harshman. "Indexing by Latent Semantic Analysis". Journal of the American Society for Information Science 41 (6): 391–407, 1990
② D. D. Lee and H. S. Seung, Algorithms for Non-negative Matrix Factorization, In NIPS, Vol. 13, pp. 556-562, 2000.

▶コーパスとネットワークの分析

02 | コイントスモデル

　表が出る確率が θ のコインがあるとします。このコインを5回投げて出た結果を x_1, x_2, x_3, x_4, x_5 とします。当然 θ の値によってこれらの結果の出方は変わります。θ が0.5なら表が出る確率と裏が出る確率は同等です。$\theta = 0.9$ なら表が出る確率が高くなります。$\theta = 0.1$ なら裏が出る確率が高くなります。

　この問題を模式図で示したのが図1です。四角で囲った部分はその変数が右下に記した数だけ複製されることを意味します。こうした省略記法のことを**プレートノーテーション**といい、グレー丸で表現された変数は**観測変数**（コインの表裏など観測できる変数）をあらわし、白丸は**潜在変数**（表が出る確率など直接は観測できない変数）をあらわします。

　単純に5回のコイントスの結果から θ を推定する場合、表が出た回数を試行回数の5で割れば θ は求まります。しかしたまたま5回連続で表が出てしまうこともあります。この場合上記の推定法だと、

$$\theta = \frac{5}{5} = 1$$

となり、このコインは表しか出ないコインだと早計な判断をしてしまうことになります。これに対して θ の値は0.5付近に値をとっているらしいことが事前にわかっているとします。図3の太い実線のような状況で θ は0.5のあたりだけど正確にはわからない状況です。この事前にわかっている情報を反映した確率分布（**事前分布**と呼びます）をモデルの中に入れ、図2のように2段構造のモデルに拡張します。こうすることで実際のコイントスの結果だけでなく事前分布の情報を反映することが可能になります。

30秒でわかる！ ポイント

コイントスの確率問題の模式図

図1　コイントスのモデル　　図2　2段構造のモデル

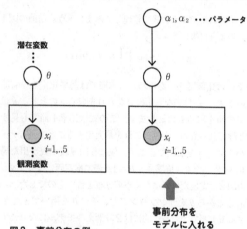

図3　事前分布の例

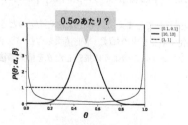

15 トピックモデル

▶コーパスとネットワークの分析

03 | 確率モデル

コイントスのモデルを数式で整理してみましょう。前節の図1のモデルは次のように書けます。

$$p(\{x_{1:5}\}|\theta) \propto \prod_{i=1,\dots 5} \theta^{x_i}(1-\theta)^{1-x_i}$$

ここで∝は比例関係をあらわし（本節では基準化定数を省略する際に使います）、x_iは表なら1、裏なら0を取るものとし、θは0から1までの値を取るものとします。この式は13章1節でも見ましたが尤度と呼ばれるものであり、これを最大化することで最もデータに沿ったパラメータを推定できます。仮に5回連続で表が出た場合は$p(x_{1:5}|\theta) \propto \theta^5$となり、直感通り$\theta=1$が**最尤推定値**になります。

前節の図2は尤度だけではなく事前分布を含むものでした。つまり、まず事前分布からθをサンプリングし、そのθを用いてx_1をサンプリングするモデルです。数式的には2段構えのモデルになります。

$$p(X|\theta,a)=p(\theta|a)p(X|\theta)=p(\theta|a)\prod_{i=1,\dots 5} \theta^{x_i}(1-\theta)^{1-x_i}$$

$p(\theta|a)$を定式化してしまえば、あとは最尤推定のときと同じように上式を最大化するθを求めれば、事前情報を含むパラメータを推定できるようになります。このように推定したθを**最大事後確率推定値**と呼びます。

30秒でわかる！ ポイント

最尤推定値と最大事後確率推定値

| 事前情報を含まない 推定値 | 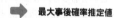 | 最尤推定値 |

| 事前情報を含む 推定値 | 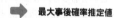 | 最大事後確率推定値 |

 メリット

事前情報を含むことでデータが少ないときでも極端
な推定値になるのを防ぐことができる

▶コーパスとネットワークの分析

04 | 事前分布と正則化

　前節の事前分布を含むコイントスモデルの例を思い出しましょう。このモデルで $p(\theta|a)$ を定めれば、θ は具体的に最大化できるのは前節でも説明した通りです。$p(\theta|a)$ にはいろいろ考えられるのですが一般的には**共役事前分布**である**ベータ分布**を用います（15章2節で見た分布がそれです）。共役事前分布は事前分布と尤度をかけたあとの事後分布の分布型が事前分布と同じになるという性質をもちます。何もむずかしいことはありません。単にこの特性によって計算が楽になるだけです。ベータ分布は次の式で定義されます。

$$f(\theta|a_1, a_2) = \frac{1}{C}\theta^{a_1-1}(1-\theta)^{a_2-1}$$

　ここで a_1 と a_2 は正数で C は f を確率密度関数にするための基準化定数です。この数式だけを見ても何が何だかわからないかもしれませんが、この分布は0から1の間に値を取るもので、パラメータの具合によって確率 p が0.5付近にあるか0か1のどちらかに偏るかを表現することができます。つまりコイントスの例でたとえるなら、前者の状況は事前分布として平等なコインを表現していることになり後者はどちらかはわかりませんが極端にバイアスがかかっている状況を表現していることになります。

　実際5回連続で表が出た例で θ を推定すると、$a_1=a_2=10$ なら0.565となり、最尤推定値に比べ事前情報をくみ取り偏りの低い推定値になり、$a_1=a_2=0.1$ なら0.969と偏った推定値になります。事前分布は事前情報を含めるという形でパラメータの推定に11章3節で見た正則化をかけていると見ることができます。こうした**事前分布の正則化としての役割**を利用したのがLDAです。

30秒でわかる！ ポイント

共役事前分布とは

共役事前分布

：

事前分布と尤度をかけた後の事後分布の
分布型が同じになるもの

⬇

計算が非常に楽になる！

コイントスモデル（二項分布）の共役事前分布はベータ分布

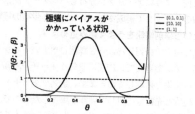

▶ コーパスとネットワークの分析

05 | LDAと内閣府景気ウォッチャー調査

　本章の最初に紹介した潜在ディリクレ配分法（LDA）の模式図は図1のようになります。図1によると、文書は複数のトピックで構成されていることがわかります。実際ある文書が1つの「話題」だけで生成されているとは考えづらいので有効な仮定だといえます。

　各トピックは少数の複数の単語を生成するように設計されています。トピックは14章5節で見た固有ベクトルのようなもので特徴づける単語がいくつかあるものと考えてください。LDAではある文書dの中に出現する単語はトピック分布の混合によって生成されるというモデルになっています。単語の出現はコインの表と裏のように二項分布で書けるものではありません。そのため二項分布を**多項分布**で拡張します。また同じように事前分布で使うベータ分布も**ディリクレ分布**に拡張します。このディリクレ分布がLDAのミソです。先ほどコイントスの例で表の出現確率が極端なコイントスをモデリングする際にベータ分布の係数を調整することでうまく正則化できると述べました。これと同じようにディリクレ分布もパラメータ次第では、**文書は少数の複数のトピックで構成され、トピックも少数の複数の単語で表現されるという事前情報をうまく組み込めます。**

　この効果は絶大で行列分解よりも解釈しやすいトピックが得られることで有名です。参考までに内閣府景気ウォッチャー調査にLDAをかけた場合の結果を掲載しておきます。景気ウォッチャー調査とは月次で景気の現状と先行きに関して判断を調査したもので、景気見通しの判断理由が短文で記載されています。「増税」や「年末商戦」をとらえたトピックが抽出されているのがわかります。

30秒でわかる！ ポイント

LDAの模式図と景気ウォッチャー調査

図1　LDAのプレートノーテーション

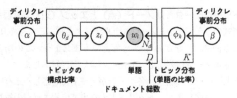

ディリクレ事前分布　→　α → θ_d → z_i → w_i ← ϕ_k ← β　ディリクレ事前分布

トピックの構成比率　　単語　　トピック分布（単語の比率）

ドキュメント総数

景気ウォッチャー調査

2000〜2017年の先行きのテキスト（約20万件）に
LDAをかけたときのトピックとどの時期にそのトピックがよく使用されているか

増税

トピック分布の上位単語
消費、強い、者、買い控え、個人、生活、志向、傾向、節約、影響、保険、マインド、顕著、料、必需

年末商戦（10〜12月に多い）

トピック分布の上位単語
部門、飲食、レストラン、鈍い、激しい、年末、用、動き、性、商戦、インターネット、物価、百貨店、ファッション、移行、食品

ミニ知識

モデルの推論法に関しては変分ベイズ、Collapsed Gibbs Samplingなどいろいろな方法があります。LDAは単語情報だけでなく文書ごとについているラベルや文書間のつながりなどほかの情報を含むように拡張もできます。

▶ コーパスとネットワークの分析

01 ネットワークとは

　ネットワークデータとは**ノード（点）とエッジ（辺）で表現される
データ形式**のことです。リレーショナルデータと呼ぶこともあります。
例として Facebook などの SNS を考えてみましょう。この場合、各
アカウントがノードに対応し友好関係がエッジに対応します。

　ウェブ上のページの場合、各ページがノードに対応しハイパーリン
クがエッジに対応します。あるノードから出ているエッジの総数を**出
次数**と呼び、あるノードに入ってくるエッジの総数を**入次数**と呼びま
す。友好関係をあらわしたネットワークのように、Ａさんから友達と
いうエッジがＢさんに出ているときにＢさんからＡさんへも友達とい
うエッジが必ず出ている場合、入次数と出次数は一致します。この
ネットワークを、エッジの向きの情報を無視するという意味で**無向性
ネットワーク**と呼びます。逆にウェブページの例のように明示的に
エッジの向きを扱うものを**有向性ネットワーク**と呼びます。

　ノードとエッジの種類が複数あるネットワークもあります。こうし
たものは、通常のネットワークと区別するために **Multiplex ネット
ワーク**や **Heterogeneous ネットワーク**と呼ばれます。たとえば企
業同士の取引関係と、企業と人をつなぐ雇用関係、人同士のネット
ワークが記録されているデータがあったとします。この場合ノードの
種類は２種類、エッジの種類は３種類あることになります。ノードも
エッジの種類も非常に多いネットワークとしては、Wikipedia の情報
から抽出した DBpedia が有名で、**ノレッジグラフ**と呼ばれます。「ド
ナルド・トランプ、職業、米国大統領」、「ドナルド・トランプ、国籍、
米国」など、概念間の関係として情報を格納しています。

30秒でわかる! ポイント

有向性ネットワークと無向性ネットワーク

矢印が意味をもつネットワーク ＝ **有向性ネットワーク**

矢印が意味をもたないネットワーク ＝ **無向性ネットワーク**

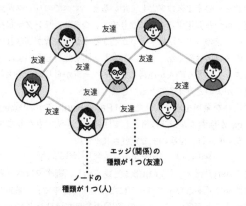

エッジ（関係）の
種類が1つ（友達）

ノードの
種類が1つ（人）

| ノードも関係の種類も
たくさんあるもの | ＝ | **Heterogeneous**
ネットワーク |

▶コーパスとネットワークの分析

02 | Page Rankと検索エンジン

　ウェブページとハイパーリンクで構成されるネットワークを考えてみましょう。みなさんも多くのウェブページからリンクが張られているページはよいサイトであると納得できるでしょう。

　このアイデアにもとづいて**ウェブページのランキングを調査するアルゴリズム**をつくってみましょう。ノードごとに入次数（ほかのページにリンクされている数）をスコアとしてみたらどうでしょうか？

　入次数をそのままスコアとして用いると、すべてのリンクが同等の貢献度をもつと仮定することになります。つまり、リンクを張っている元のページのスコアが低かろうが高かろうが入次数が高ければそのページのスコアは高くなります。しかし、誰も注目しないようなページからよりも、多くの人が注目しているページからリンクが張られているほうがよいと考えることもできます。

　この素朴な発想を取り入れたのが **Page Rank** です。Page Rank は Google が検索エンジン技術として開発した手法でもあります。あるページ i のスコアは次の式で定義されます。

$$score(i) = \frac{p}{N} + (1-p)\Sigma_{j \in j \rightarrow i} \frac{score(j)}{out(j)}, i=1,2,...N$$

　ここで $out(j)$ はノード j の出次数をあらわし、確率 p はネットワークとは関係なくあるウェブページにたどりつく確率で、一般的に0.15に設定することが多いです。式の第2項の Σ の右はリンクを張っているウェブページのスコアを出次数で割ったものになっています。こうすることでスパムサイトのように**滅多やたらにリンクを張っているページの影響を割り引いている**ことがわかります。上式は逐次的に更新することで解を求めることができます。

30秒でわかる！ ポイント

Page Rankの計算例

入次数は同じ1なのに

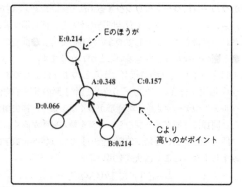

E:0.214 ---- Eのほうが

A:0.348　C:0.157

D:0.066

Cより
高いのがポイント

B:0.214

HITSなどほかにもいろいろある！

📖 **ミニ知識**

ほかにも「リンクを多く集めているページ」だけでなく「よいページにリンクを張っているページ」を峻別するHITSと呼ばれるアルゴリズムもあります。興味のある方は調べるとよいと思います

▶コーパスとネットワークの分析

03 | コミュニティ抽出

コミュニティ抽出とはネットワークの構造にもとづいて**ノードをいくつかのグループにクラスタリングする**手法です。たとえば右の図を見てください。これはノードを政治関連の本とし、同じ消費者によって購入された書籍をエッジとしてつないだものです。●同士のつながりは、●と■のつながりよりも多いことがわかります。

それではネットワークの情報だけからどのように上記のようなコミュニティ抽出を行うのでしょうか？　14章1節のK－平均法では同じラベルをもつデータ点同士の距離が短くなるように損失関数を定めました。同様に「同グループならエッジを結ぶ確率が高く、異なるグループ同士ならエッジを結ぶ確率が低い」という状況を数学的に定義してみましょう。ここでは次式を用います。

$$\frac{1}{m} \sum_{ij} \left[A_{ij} - \frac{k_i k_j}{m} \right] \delta(c_i, c_j)$$

ここで A_{ij} は i か j にエッジがあれば1、なければ0となる行列（**隣接行列**と呼びます）、k_i、k_j は i、j の出次数、m は総エッジ数、c_i、c_j は i、j のクラスラベル、$\delta(c_i, c_j)$ は i と j のラベルが一致していれば1、一致していなければ0になる関数です。

同じコミュニティに属しているノードペアにだけ注目します。上式は2つのノード間にエッジがあれば括弧内は正になります。これに対して2つのノード間にエッジがなければ括弧内は負になります。上式を最大化するようにノードをクラスタリングすることで、コミュニティ抽出は実行できます。この式の値を**モデュラリティ**と呼びます。上式は階層的クラスタリングと同様に、モデュラリティが一番上がる順にボトムアップでクラスタリングしていくことで極大化できます。

30秒でわかる！ ポイント

同グループはエッジを結ぶ確率が高くなる

 コミュニティ抽出とは？

ネットワーク情報からノードを
いくつかのグループに分けること

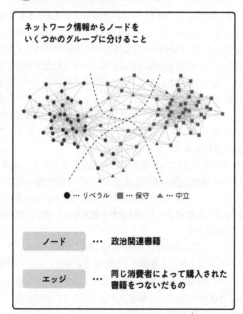

● … リベラル　■ … 保守　▲ … 中立

ノード	…	政治関連書籍
エッジ	…	同じ消費者によって購入された書籍をつないだもの

出典）M. E. J. Newman, "Modularity and community structure in networks", PNAS, vol. 103 (23), 8577-8582, 2006

▶ コーパスとネットワークの分析

04 | リンク予測

リンク予測とはネットワークデータが与えられた時に、（1）**どの
エッジが偶然欠損しているか**、（2）**どのリンク（エッジ）が将来高
い可能性が生じるか**を予測する問題です。このような問題は至るところに散見されます。Facebook で観測される友好関係のネットワークの中で偶然お互いの存在を知らずにいるユーザー同士を予測し補完する問題は（1）に分類されます。また消費者と商品をノードとして消費者が商品を購入したときにそれをエッジとするネットワークを考えてみましょう。この際に過去の購買記録から将来的に消費者がほかにどの商品を買うか予測する問題もリンク予測の一種です。これはAmazon の推薦システムなどで利用されます。

リンク予測をするにはさまざまな方法がありますが、本章では、（A）ノードの**局所統計**を用いる手法と、（B）**行列分解**を用いる方法を見ていきます。（A）の最も簡単な方法はリンクがないノードの間に**どれだけ共通の隣接ノードがいるかを数える**ことです。数式的には次のように書きます。

$$score(i,j) = |N(i) \cap N(j)|$$

ここで $N(i)$ は i さんと直接エッジでつながっているノードをあらわし、$|\ \ |$ は総数をあらわします。友人ネットワークの場合、共通の友人がいればいるほど、その2人が友人である可能性が高いという直感をあらわしたものになります。ほかにもノード i と j の Page
Rank をかけるなど、さまざまな手法があります。このようなノードの付近で定義できる局所統計を用いる方法は一見簡単ですが、**そこそこ予測精度が出ることでも有名です**。

30秒でわかる！ ポイント

ネットワークデータが与えられたときに……？

データの欠損を補う

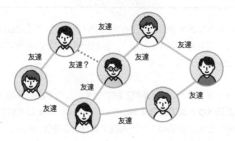

新しく生じるリンクを予測

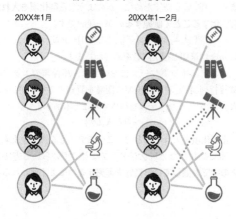

▶ コーパスとネットワークの分析

05 | 推薦システムと ノレッジグラフ補完

　前節に続きリンク予測の手法を学んでいきます。ここでは行列分解を用いた方法を見ていきましょう。行列分解を用いた手法では隣接行列 A を次の式で近似します。

$$A \sim f(UU^T)$$

　U は $n \times k$ の行列、f は非線形関数です。この手法の目的は**各ノードを低次元ベクトルで表現する**ことです。そのため k は比較的小さい値に設定します。前節のスコア表現で表現する場合、あるノード i の潜在表現を u_i とし、

$$score(i,j) = f(u_i^T u_j)$$

になります。過学習を防ぐために、次のような**正則化項を入れた損失関数を最小化することで訓練する**のが一般的です。

$$\min_{U, \Lambda} \frac{1}{|O|} \Sigma_{i,j \in o} loss(A_{ij}, f(u_i^T u_j)) + \frac{\lambda}{n} \Sigma_{i=1}^n u_i^2$$

　ここで $loss$ は適切な損失関数をあらわします。

　ヘテロジニアスネットワークにおいては、K 種類のエッジのそれぞれに隣接行列 A_k と潜在表現間の距離を調整する行列 A_k を定義し $(k=1,..,K)$、次のようなモデルを構成することもあります。

$$A_k \sim f(U \Lambda_k U^T)$$

　適切に正則化項を入れることで、このモデルも訓練できます。これは16章1節で紹介したノレッジグラフなどで用いられる方法で**データベースの中で欠損している情報を補完する**のによく使われる手法です。

30秒でわかる! ポイント

ノレッジグラフ補完とは

リンク予測 … 行列分解でも可能
推薦システムでもよく利用される

ノレッジグラフ補完とは…

| ビル ゲイツ | 住む | 米国 |

| マイクロソフト | 本拠地 | 米国 |

| メリンダ ゲイツ | 夫婦 | ビル ゲイツ |

などの関係が豊富に入ったデータから

⬇

| メリンダゲイツ | 住む | 米国 |

を補完すること

 ワンポイントアドバイス

ノレッジグラフ補完について気になる方は次のレビューペーパーを参照
してください。
Maximilian Nickel, Kevin Murphy, Volker Tresp, Evgeniy
Gabrilovich, A Review of Relational Machine Learning for
Knowledge Graphs, Proceedings of the IEEE 104(1): 11-33
(2016)

第 5 部

ディープ
ラーニング

第5部　シラバス

総括　ディープラーニングはその言語や画像データにおける圧倒的パフォーマンスの高さから、今やビッグデータと同じレベルでバズワードになったといえます。

しかしみなさんはディープラーニングの基本をきちんと理解できていますでしょうか？ ディープラーニングをすれば何でもできると考えるのは早計です。「思考の自動化」に陥らず、技術がつくり出す未来を見通したいのならば、技術の基礎を理解することが一番の近道です。

そこで第5部ではディープラーニングの根本となったニューラルネットワークの隆盛の歴史を解説すると同時に、ディープラーニングの背景にどういう技術があるのか解説していきます。

ただ、あまり厳密な話ばかりをしていても面白くないだろうということで、最後の2章ではブームのきっかけとなった言語（もっと一般的には系列データと呼ぶ）や画像データにおけるディープラーニングの適用例も見ていきます。

17章　ディープラーニングに至るまでのニューラルネットワークの歴史を概観していきます。まずニューラルネットワークとは何であるかから説明を始め、1950年代の単純パーセプトロンとその限界、1980年代の多層パーセプトロンとその限界を見ることで、ニューラルネットワークが歴史的にどのような変遷をたどってきたかを見ます。

ディープラーニングの根幹を成す確率的勾配法や誤差逆伝搬

法といったアルゴリズムは、今日でも基本的には1980年代とほ
ぼ同じものが利用されているため、多層パーセプトロンなど基
本的なニューラルネットワークの特性を理解することで、ディー
プラーニングのより深い理解を得ることができます。

18章 ディープラーニングとは何であるか、その全体像を説
明します。特にディープラーニングの根幹を成すアルゴ
リズムは1980年代と変わらないにもかかわらず、2010年代まで
ディープラーニングが台頭してこなかった理由と背景に焦点を
あてます。

まず1980年代以来現在に至るまでニューラルネットワークの
学習で大きな役割を果たす確率的勾配法を説明したあと、比較
的最近提案されたReLU関数の利用や、過学習を防ぐためのさ
まざまな正則化法について見ていきます。

19章 言語（系列）データにおけるディープラーニングの適
用例を見ていきます。まず系列データの概要から説明を
始め、系列データのモデルを作成する上で重要となる定常性の
仮定を説明します。

次に最も簡単な言語モデルであるN-gramモデル、そして再
帰的結合をもつニューラルネットワークの総称であるRNNと、
順を追って紹介します。RNNはN-gramに対し、比較的小さな
パラメータ数で複雑な挙動を表現することができ、今日では
N-gramを凌駕する性能が実現されています。

本章の最後にはディープラーニングによる機械翻訳の例を見
ていきます。機械翻訳に関してスタンダードになっている
seq2seqモデルは、実は2つのRNNをつなげるという単純な構

造からなっていることを説明し、より高い翻訳精度を達成する工夫についても言及します。

20章　最後に画像データにおけるディープラーニングの適用例を見ていきます。まず画像データを機械に分析させる際に生じる困難を説明し、画像データのモデルをつくる上で重要な仮定となる並進不変性について説明します。

次に画像データの分析で最も基本となるCNN（畳み込みニューラルネットワーク）の説明をします。CNNは多量の画像データに対する識別問題に対して、スタンダードなモデルとなっているので、基本を学んでおいて損はないでしょう。

20章の締めくくりには近年脚光を浴びるGenerative Adversarial Network（GAN）と呼ばれる手法を利用した、画像生成について学んでいきます。

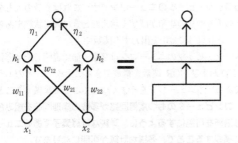

01 ▶ディープラーニング
ニューラルネットワークとは

　近年よく利用される**ニューラルネットワーク**は、動物の神経システムを模倣した学習モデルの総称です。人間を含めた動物の神経システムは、シナプスと呼ばれる電気的結合により結びつく、多数の神経細胞から成ります。神経細胞はほかの細胞とは異なり、細胞膜内外の電位差の変動を利用して相互に情報をやりとりできます。

　最も単純な描像としては、シナプスを介してほかの細胞からの刺激を受け取った神経細胞は、刺激がある一定の水準を超えると興奮状態となり、その細胞がシナプス結合をもつほかの神経細胞へ刺激を伝達します。このような神経細胞の刺激の伝達により、われわれの精神活動は支えられています。

　ニューラルネットワークはこの神経細胞の働きを単純化・模倣した**ニューロン**と呼ばれる計算素子を多数結合することで構成された学習モデルです。ニューロンとして最も一般的なのが1940年代に提案された**マッカロック・ピッツのニューロン**です。これは多数の入力を受け取り、その重みつきの総和が閾値を超えたときに興奮状態をあらわす出力1 を、それ以外では0 を出力する関数です。

　マッカロック・ピッツのニューロンは2章1節で説明した半導体同様に、NAND および NOR 関数を構成できることから、どのような論理演算であってもニューロンをうまくつなぐことで模倣することができます。**コンピュータのもつ演算回路が多数の論理回路を組み合わせて多様な演算を可能にするように、単純な計算素子であるニューロンを複雑に構成することで、多様な計算が可能になります。**

30秒でわかる！ ポイント

神経細胞の数理モデル化

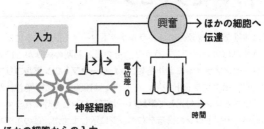

数理モデル化

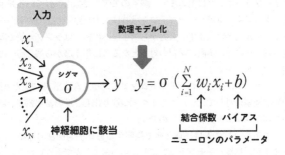

$$y = \sigma \left(\sum_{i=1}^{N} w_i x_i + b \right)$$

結合係数　バイアス

ニューロンのパラメータ

半導体（2章1節）同様に、どのような論理演算であってもニューロンをうまくつなぐことで模倣できる！

▶ ディープラーニング

02 単純パーセプトロン

では複雑な問題を解くニューラルネットワークを訓練するには、一体どうすればよいのでしょうか？　その最も初期の試みが、1950年代にローゼンブラットにより提案された**パーセプトロンアルゴリズム**です。ローゼンブラットが用いたモデルは1980年代に提案された多層パーセプトロンと対比して**単純パーセプトロン**とも呼ばれます。

単純パーセプトロンの構造を右ページに示しますが、このモデルの特徴はその階層性にあります。このような階層的な構造は、近年のディープラーニングに至るまで、多くのモデルで採用されている基本的構造です。単純パーセプトロンは特に入力を除いて2つの層から成るモデルだといえます。入力から第1層への結合はランダム値で固定されたもので、実際に学習の対象となるのは第1層から第2層への結合パラメータです。

ローゼンブラットのパーセプトロンアルゴリズムは13章で見た2値の分類問題に対して、データを1つずつ取り出し、その識別誤差を用いてパラメータを更新するものです。

このアルゴリズムは18章3節で説明する確率的勾配法の原型と呼べますが、単純パーセプトロンにしか用いることができないなど、一般性・汎用性はないことがわかっています。

パーセプトロンアルゴリズムの重要な性質は、解くべき問題が13章2節でも見た線形サポートベクターマシン同様に、線形分離可能ならば最適解を見つけることができるという点ですが、**逆に線形分離不可能な問題の場合、どうすることもできない**という難点を抱えていました。次節でこの点をもう少しくわしく解説します。

30秒でわかる！ ポイント

単純パーセプトロンの構造

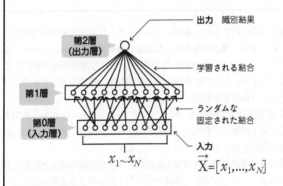

出力 識別結果

第2層（出力層）

学習される結合

第1層

第0層（入力層）

ランダムな固定された結合

入力

$x_1 \sim x_N$

$$\overrightarrow{X} = [x_1, ..., x_N]$$

単純パーセプトロンが解ける問題、解けない問題

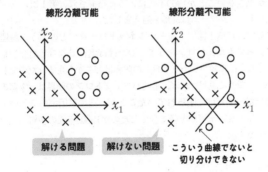

線形分離可能

線形分離不可能

x_2

x_1

x_2

x_1

解ける問題

解けない問題

こういう曲線でないと切り分けできない

▶ディープラーニング
03 | 単純パーセプトロンの限界

　前節で述べたように、単純パーセプトロンは**線形分離可能な問題**には有効ですが、**線形分離不可能な問題**には対処できません。サポートベクターマシン（13章3節）で説明した問題も線形分離不可能な問題の例ですが、ここでは**XOR（排他的論理和）関数**を通して単純パーセプトロンの限界を解説します。

　XOR関数とは2つの0か1を取る変数を入力とし、0か1を出力として返す関数で、右ページの表1のように振る舞います。この関数の振る舞いを図示したのが図1になります。

　線形分離可能な問題とは図1において1本の直線で黒丸と白丸を分けられるということです。単純パーセプトロンのような簡単なニューロンのつなぎ方では、このような少しむずかしいだけの問題でも解くことができないことが1960年代に入ると指摘され、第1次ニューラルネットワークブームは終焉を迎えました。

　本書では17章1節でニューラルネットワークはどのような論理演算であってもニューロンをうまくつなげば実行できると紹介しました。それでは単純パーセプトロンの限界はどこから生まれたのでしょうか？　端的に説明すれば、単純パーセプトロンの限界は、**学習の対象がただ一層だけに限られていた**ことが、その原因であるといえます。そこで長い氷河期を経て登場したのが1980年代の多層パーセプトロンです。

30秒でわかる！ポイント

線形分離不可能なXOR関数には対処できない

図1

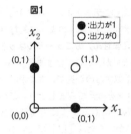

● :出力が1
○ :出力が0

表1　XOR関数

X_1	X_2	$XOR(X_1, X_2)$
0	0	0
0	1	1
1	0	1
1	1	0

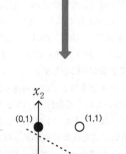

直線ではうまく分けられない

単純パーセプトロンは
単純なXOR関数ですら
近似できない

▶ ディープラーニング

04 | 多層 パーセプトロン

　多層パーセプトロンとは1980年代にランメルハートやヒントン、ラカンらによって生み出されたモデルです。図1のように**入力、中間、出力の2層（慣習的に入力層は数えません）のニューラルネットワーク**になります。少し入り組んでいますが、ここではまず多層パーセプトロンがどのように XOR 関数を近似するのか見ていきます。

　図1の簡単な多層パーセプトロンを考えてみましょう。この多層パーセプトロンにおいて、まず図2にあるように中間層の2つのニューロンを入力が [0,0] でないか、または [1,1] でないかそれぞれ識別するように訓練します。図2を見れば明らかな通り、これは2つのニューロン h_1、h_2 を用いれば線形分離可能な問題なので容易に訓練可能です。そして図3にあるように中間層のニューロンが両方 ON、つまり1となるような状況さえ識別できるように訓練すれば（これも線形分離可能）入力が [0,0] でなく、かつ [1,1] でないときに1を返す XOR 関数を**全体として再現できる**ようになります。

　多層パーセプトロンによって単純パーセプトロンでは不可能であった問題を解くことができるかもしれないという可能性は、1980 年代に**第2次ニューラルネットワークブーム**を引き起こしました。1980年代のブームの中ではさまざまな重要な研究成果が生み出されました。特に重要なのは、バロンらによって示された「シグモイド活性化関数をもつ多層パーセプトロンは、**十分多くの中間層ニューロンを用意すれば、任意の関数を任意の精度で近似できる**」という定理です。

　これらの成果を経て XOR 関数に関わるニューラルネットワークへの批判は完全に覆されました。

30秒でわかる！ ポイント

XOR問題の解き方

図1　多層パーセプトロン

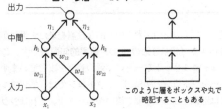

このように層をボックスや丸で
略記することもある

図2　第1層の処理

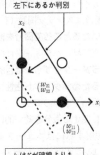

h_2はXが実線よりも
左下にあるか判別

h_1はXが破線よりも
右上にあるか判別

図3　第2層の処理

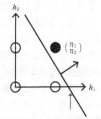

h_1とh_2が同時に
1となるように判別すれば、
図2で実線と破線にはさまれた
領域のデータを判別可能

 図2と図3はh_1のニューロンが破線の上にある○を●と同一
視し、h_2のニューロンが実線の下にある○を●と同一視する
ことで、線形分離している様子をあらわしています

▶ ディープラーニング
05 | 多層パーセプトロンの学習

　多層パーセプトロンの学習で中心的な役割を果たす手法が**誤差逆伝搬法**と後述する（18章3節のSGD）**確率的勾配法**です。これらは今日でもニューラルネットワークの学習の基礎を成しています。

　単純パーセプトロンと多層パーセプトロンでは、学習アルゴリズムの違いとは別にもう1つ重要な違いがあります。これは**シグモイド活性化関数**の利用です。マッカロック・ピッツの提案から単純パーセプトロンの時代まで、多くの場合に右ページのような**ステップ型活性化関数**が利用されてきました。ただ、確率的勾配法をはじめとする勾配法は、このような不連続、すなわち微分不可能な点を含む関数は相性がよくありません。シグモイド活性化関数はステップ関数（右ページ）を滑らかに崩したような関数であり、**いたるところで微分を簡単に実行できる**関数です。これは最適化の観点では、パラメータに関する目的関数の勾配、つまりは**どの方向にパラメータをずらせば目的関数が改善し学習が促進するか**が簡単にわかるためシグモイド活性化を利用したニューラルネットワークは非常に扱いやすいのです。

　多層パーセプトロンでのパラメータに関する微分を効率的に行う方法が**誤差逆伝搬法**です。この方法を理解するにはニューラルネットワークを連結されたギアにたとえるとよいでしょう。パラメータを各ギアの回転量だとすれば、パラメータに関する微分は各ギアの出力に対する回転比にあたります。これは出力側から入力側へ向けて順番に各ギアの回転比を掛け合わせることで、効率的に計算できます。これが誤差逆伝搬法です。入力側から出力側へ伝わる回転とは逆向きに計算が進むことから逆伝搬と呼ばれるようになりました。

30秒でわかる！ ポイント

シグモイド関数とニューラルネットワークのイメージ図

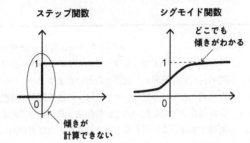

ステップ関数

シグモイド関数

どこでも
傾きがわかる

1

0

傾きが
計算できない

1

0

誤差逆伝搬法のイメージ図

　ニューラルネットワークを連結されたギアにたとえると？

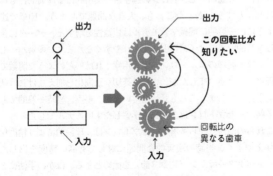

出力

入力

出力

この回転比が
知りたい

回転比の
異なる歯車

入力

▶ ディープラーニング

06 | 多層パーセプトロンの限界

　1980年代の第2次ニューラルネットワークブームも長くは続きませんでした。それはニューラルネットワークのもついくつかの根本的な問題と、当時の技術的な限界から起因したといえます。

　まず根本的な問題としては多層パーセプトロンの**目的関数の非凸性**があります。これは8章2節で見た通り、勾配法で最適解を求めることが事実上不可能であり、よい局所最適解を得るためには原理的にたくさんの試行が必要であることを意味しています。またこれも目的関数の形状による問題なのですが、時に学習が不安定となったり、まったく学習が進まなくなるなど学習自体のむずかしさもあります。このような問題は**勾配消失・爆発問題**と呼ばれるもので、現在においても完全に解決したとはいえない問題です。

　さらに、**多層パーセプトロンの過学習**を実用的にも理論的にも抑えることがむずかしかったことも、大きな問題でしょう。10章で述べたように、一般的に機械学習モデルは複雑性を増すと、データに含まれる本質的でないノイズに引きずられやすくなります。多層パーセプトロンは中間層のニューロンを十分用意すれば、どのような関数でも表現できると述べましたが、これは適切な正則化を加えなければ簡単に過学習してしまうことも意味しています。事実、当時一般的であった多層パーセプトロンは非常に過学習しやすいモデルでした。

　これらの問題点から多層パーセプトロンは、理論的により精度保証が与えやすく、当時の現実的な問題に対しても高い精度を出したサポートベクターマシン（13章3節）を始めとする、ほかの手法にとってかわられることになりました。

30秒でわかる！ ポイント

多層パーセプトロンの問題点

ニューラルネットワークの目的関数は
非凸である

勾配消失・爆発問題など
学習自体がむずかしい

過学習しやすい

1990年代以降当時高い精度を出して
いった サポートベクターマシン(SVM)
などにとってかわられることに

▶ディープラーニング

01 ディープラーニングとは

　単純パーセプトロンと多層パーセプトロンの時代に2度にもわたりブームの終焉を経験したニューラルネットワークは、2010年前後にディープラーニングとして再度蘇ることとなります。ディープニューラルネットワークとは、3層以上の**深い階層**をもつニューラルネットワークの総称で、これは大部分が2層までに限られていた多層パーセプトロン時代のニューラルネットワークへの対比をあらわしています。

　ディープラーニングの登場はいくつかの要因が複合的に重なり成立したものでした。その1つの重要な側面は、**ネットワークの深層化と大規模化により高い汎化性能を実験的に達成できた**ことですが、背後でどのような原理が働いているかはまだはっきりとはわかっていません。現在述べられている仮説をいくつか紹介すると、まずディープニューラルネットワークは、そうでないニューラルネットワークに比べて少ないパラメータ数で複雑な関数を表現できることが指摘されています。過度に大きなパラメータ数は過学習の直接的な原因となるので、これはある程度妥当性があるように思えます。

　また、17章6節で説明したとおり、目的関数の非凸性は多層パーセプトロンの大きな問題の1つでしたが、**大規模化によって局所最適解が似たようなコストをもちやすくなり、比較的簡単により局所最適解が見つけられるようになっている**という報告もあります。

　しかし、これらの仮説では説明できない、さらに不可解な実験結果なども報告されているのが現状です。**ディープラーニングの汎化性能にまつわる理論的研究は、今後ますます活発となっていくでしょう。**

30秒でわかる！ ポイント

深層ニューラルネットワークの特徴

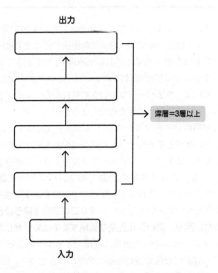

出力

深層＝3層以上

入力

特徴
- 高い汎化性能を達成
- まだ不明点が多い

仮説
- 少数のパラメータで複雑な関係性を記述
- 局所最適解が似たようなコストをもちやすくなる

214

18 ディープラーニング

> ▶ディープラーニング

02 | ディープラーニング登場までの技術的背景

　ディープニューラルネットワークとそうでないものを分けるのは、ネットワークの構造のみです。確率的勾配法や誤差逆伝搬法といったアルゴリズムは今日でも基本的には1980年代とほぼ同じものが利用されています。では1980年代にディープラーニングを試した人が仮にいたとすれば、多層パーセプトロンの時代からディープラーニングの時代へスムーズに移行できたのでしょうか?

　実は最初期のディープラーニングは1990年代にはすでに提案されていました。注目を集めなかったのは当時の技術的な限界によるものだといえます。まずディープニューラルネットワークが過学習しにくいといっても、それは程度の問題であり、パラメータ数が大きなニューラルネットワークはサポートベクターマシンなど他モデルと比べて過学習しやすいといえます。つまり**この問題を補うほどのビッグデータがない限り、高い汎化性能を実現するのはむずかしかったの**です。ビッグデータが比較的簡単に利用できるようになったのは2000年代以降の爆発的な情報通信技術の発展によるもので、1980〜90年代にはまだこの恩恵を受けることはできませんでした。またビッグデータに対してディープラーニングをするとなると、その**計算量は膨大**なものとなります。この要求に耐えうる計算機は当時の技術では入手不能でした。この点は2章4節で述べたムーアの法則による爆発的な計算リソースの増大と、2章5節で説明したGPUとニューラルネットワークの相性のよさから今日に至って解決されたといえます。

　このように**ディープラーニングは近年のハードウェア技術とビッグデータの革新により再発見された**ものなのです。

30秒でわかる！ ポイント

ディープラーニングが登場した技術的背景

ビッグデータ
(1章2節)

SGD
(18章3節)

ICT
ムーアの法則
(2章4節)
インターネット

GPU
(2章5節)

ReLU等
DL技術
(18章4、5節)

深層・大規模ネットワーク
(18章1節)

高い汎化性能

▶ディープラーニング

03 | ディープラーニングで利用される技術（1）

　ビッグデータを利用したディープラーニングを可能とする重要な方法が**確率的勾配法**（Stochastic Gradient Descent, SGD）です。ニューラルネットワークの学習の目的関数は多くの場合、各データレコードに対して評価した尤度（ゆうど）の平均値となります。この目的関数を厳密に最適化すると、各ステップでデータ総数分の計算コストが発生します。これはデータ総数が莫大なビッグデータを対象としたディープラーニングにおいては大きな困難となります。そこで有用となるのが確率的にデータを取り出しパラメータを更新する確率的勾配法です。

　SGD ではパラメータ更新の各ステップにおいて N よりずっと少ない数 k のサンプルだけを確率的に取り出して、そのサンプルにもとづいて勾配を計算し更新に利用します。このように計算された確率的な勾配は一般的に真の勾配とは一致しないため、目的関数の最小化問題でも偶発的に目的関数の上昇を許してしまう場合もあります。しかし、確率的な勾配の平均が真の勾配に一致しているなら、SGD による更新は**平均的には目的関数を下げる**方向に働きます。勾配法による最適化では非常に多くのステップを通して問題を解くことが一般的なので、平均的に最適化が行われているならば長時間の更新を経たパラメータはきちんと目的関数を下げます。事実、凸問題における SGD の振る舞いはよく研究され、学習率を適切に調節することで最適解へ収束することが知られています。この際、確率的でない勾配法と比べて収束速度は悪化しますが、経験的に非常に優れた学習結果が得られることからも、SGD は多用されています。

30秒でわかる！ ポイント

確率的勾配法とは

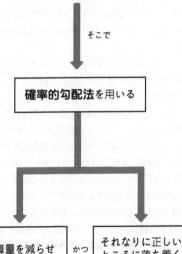

ビッグデータに対するディープラーニングでは、
すべてのデータを用いて勾配情報を計算するのは
現実的ではない

そこで

確率的勾配法 を用いる

計算量を減らせ　　かつ　　それなりに正しい
ところに落ち着く

▶ ディープラーニング

04 | ディープラーニングで 利用される技術（2）

　もう1つディープラーニングの発展に大きな役割を果たしたのは、勾配消失・爆発問題（17章6節）への対処技術の成熟です。学習信号の不安定性は多層パーセプトロンの時代から知られていますが、特に深層のネットワークにおいて顕著となります。ここではこれらの問題に対してどのような改善が成されてきたのか見ていきましょう。

　ディープラーニングの発展において最も重要な役割を果たしたといえるのが右ページに示す ReLU（Rectified Linear Unit）と呼ばれる関数です。

　「勾配消失」と呼ばれる現象はニューラルネットワークに関して計算した微分が非常に小さい値を取る状況を指します。シグモイド関数の微分は入力が0から遠ざかると急速に0に近づきます。ディープラーニングにおいて、学習信号はこの小さな微分値を掛け合わせるように計算されるため、シグモイド活性化関数を利用して構成したニューラルネットワークでは、学習信号が消失しやすいのです。

　それに対して ReLU 関数は負の入力に関しては微分は0となりますが、正の入力に関してはつねに微分は1となるように定義した関数です。1は複数回掛け合わせても値は変わりませんので、結果として学習信号の消失をある程度抑制できる性質をもちます。

　勾配消失・爆発問題はネットワークが深くなるほど深刻となるため、近年においても新たな手法が数多く生み出されています。右ページに代表的なものをまとめています。実際にディープラーニングを利用する際に学習がうまくいかないと感じた際にはこれらを試してみるとよいでしょう。

30秒でわかる! ポイント

シグモイド関数とReLU関数

シグモイド

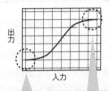

出力

入力

傾きがほぼ0

ReLU

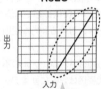

出力

入力

傾きがつねに1

☝ 学習安定化技術

● ReLUの利用
● Xavier初期化
● 事前学習 ※近年では利用されず
● データ正規化

● バッチ正規化
● Residual結合の導入
● LSTM(RNNに限る)

▶ディープラーニング

05 | ディープラーニングで 利用される技術（3）

　前節はディープラーニングにおける最適化のむずかしさに大きく関わる技術を紹介しました。9章と10章で見たように、現実の問題では与えられたデータの最適化、つまり経験誤差の最小化ではなく、未知のデータへの汎化性能を確保することが目的です。そのためディープラーニングを正則化する方法が重要となってきます。

　まず ReLU の利用と前後して提案された手法に**ドロップアウト**があります。これはランダムにニューロンを選び出し、各学習ステップにおいてそれらを学習から除外することで行う方法です。これは11章3節で見た L 2正則化の一般化として理解できることが知られており、ディープラーニングに対する強力な正則化法として利用されます。

　またデータの特性から期待されるモデルの不変性に着目する方法も知られています。この代表例はおもに画像データに対する**データオーグメンテーション**と呼ばれる手法です。たとえば写真に何が写っているかを判別する問題を考えましょう。このとき、画像がトリミングされるなどして写っている範囲が少し変わったとしても、正しく学習されたモデルなら同じ判別結果を返すことが期待されるでしょう。これは画像の並進移動に対して、モデルが不変であることを期待しているともいえます。しかしながら20章1節でくわしく説明するように、トリミングや回転などの編集を行ったデータは、コンピュータにとってはまったく別のデータとなります。データオーグメンテーションは**これを逆手にとり、編集を通してデータの水増しを行うことで、モデルの汎化性能を向上させる方法**です。

30秒でわかる！ ポイント

ドロップアウト　　　データ　　　オーグメンテーション

DropoutとData Augmentation

ドロップアウトの例:
訓練時にのみニューロンをランダムに選定する

標準的な　　　　　　ドロップアウト　　　　手書きの数字の
ニューラルネット　　の採用後　　　　　　　分類問題における比較例

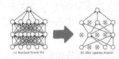

分類ミス%

ドロップアウトなし
Without dropout

ドロップアウトあり
With dropout

重み更新の数

出典）Srivastava, N., Hinton, G. E., Krizhevsky, A., Sutskever, I. &
Salakhutdinov, R. (2014).
Dropout: a simple way to prevent neural networks from overfitting, Journal
of Machine Learning Research, 15, 1929-1958.

データオーグメンテーションの例

元　　　　　　　　　　　　　　　反転

トリミング

回転

画像はhttp://www.imageprocessingplace.com/root_files_V3/image_databases.htmより

▶ ディープラーニング

01 | 系列データと マルコフ連鎖

　系列データとは（おもに）時間に沿って1次元に並んだデータのことをいいます。たとえば各時刻で得られた株価や仮想通貨の値動き履歴などは系列データの一種です。また文章にあらわれる単語も、冒頭から末尾へ一次元的に並んでいるという点で系列データであるといえます。以下では、言語データの予測を軸として系列データの取り扱い方を説明します。

　系列データを考える上で重要な概念が**定常性の仮定**です。文章中の、ある位置における単語の出現の仕方は、文章中の絶対的な位置に応じて決まるというよりは、**文脈に応じて決まる**といってよいでしょう。たとえば英文中で"……as soon"という表現があらわれたら、次にあらわれる単語は十中八九"as"でしょう。また、日本語であれば"……全然問題"という表現があらわれたら、次にあらわれる単語は確実に"ない"でしょう。この点に着目すると、単語の出現の仕方を文脈、すなわちこれまでの単語のあらわれ方に依存した条件付き確率により記述することができます（右ページ式①）。

　式①は文章冒頭からあらわれたすべての系列を文脈として扱っていましたが、はるか昔にあらわれた単語は現在の単語の予測に大きく影響はしないと考えることができます。この考えから直前にあらわれた単語にのみ依存して、ある位置の単語予測を行うものが右ページ式②のマルコフ連鎖モデルです。

　定常性を仮定することにより、文章のすべての位置において単語の出現確率を単一のモデルで予測することができます。

30秒でわかる！ ポイント

系列データとは

Bitcoinの価格の推移

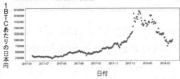

単語位置	0 ⋯ i $i+1$ $i+2$ $i+3$ $i+4$ L

冒頭

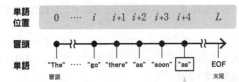

単語　　"The" ⋯ "go" "there" "as" "soon" "as" 　EOF
　　　　冒頭　　　　　　　　　　　　　　　　　末尾

この単語 $w=$"as" の予測を行うには？

・**定常性の仮定から文脈を利用**

$$p(w\,|\,\text{"The...go there as soon"})　式①$$

これまでの単語履歴：文脈

・**マルコフ連鎖モデル：直前の単語だけを見る**

$$p(w\,|\,\text{"soon"})　式②$$

▶ディープラーニング
02 | N-gram 言語モデル

マルコフ連鎖モデルでは直前の単語のみにもとづいて単語の予測を行いましたが、これでは前述の"as soon as"の例のように複数の単語の並び（"as soon"）に依存して単語の出現（"as"）が決まる現象を扱うことはできません。

この問題は $N-1$ 個前までの単語系列にもとづいて、次の単語の出現確率が決まる **N-gram 言語モデル**を利用することにより改善できます。

テキストコーパスに含まれる語彙の数を V とします。N-gram では長さ N の単語の並び方の全通り（総数 V^N）に対して条件付き確率値が指定されます。

ここで気をつけなければいけないのは、N-gram のパラメータの総数（つまり指定すべき確率値）は N に対して**指数的に増大**することです。この巨大さからコーパスにおける単語並びの出現回数から条件付き確率を算出する最尤推定では、N-gram モデルは容易に過学習します。たとえば"he has a telegram"のように利用頻度は低いけれども文法・意味的に間違ってはいない文章がコーパス中に偶然存在しない場合、最尤推定で構築された N-gram からこの文章は生成されません。このためにスムージングと呼ばれる未観測の単語系列の出現確率を底上げする方法が研究されてきたのですが、限界があったといってよいでしょう。この点は後述する RNN と大きく異なる点です。

30秒でわかる！ ポイント

テキストコーパスとN-gramモデルの関係

テキストコーパス（データ）

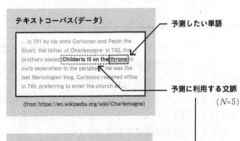

予測したい単語

（from https://en.wikipedia.org/wiki/Charlemagne）

予測に利用する文脈

(N=5)

N-gramモデル

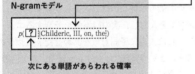

次にある単語があらわれる確率

イメージ

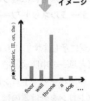

N-gramの例

● すべての可能な単語の並びに関して出現確率を調べる

● 語彙数を V としたとき V^N のパラメータが必要

▸ ディープラーニング
03 | 系列予測とRNN（1）

これまで述べてきたモデルでは、時刻によらないモデルを構築することで、データのもつ定常性を利用してきました。ニューラルネットワークを利用する場合にも同様の工夫が有効です。

ここでも引き続き文章の系列予測問題を考えましょう。N-gramと同様に、条件付きの確率をニューラルネットワークで記述することにより、データのもつ定常性がうまく利用できます。

こうしたアプローチの最も単純な例は、適当な整数kを取って過去kステップ分のサンプルを入力し、次の観測値を予測するニューラルネットワークです。これは入力に予測対象をあわせた$k+1$以下の長さの依存関係までを扱えるという意味で、$k+1$-gramモデルと同等です。

このモデルにはkをどのように決めるかという（N-gramモデルと同様の）問題があります。この点において原理的には**限りなく長い依存関係もモデルできるリカレントニューラルネットワーク（RNN）**が非常に有用です。

RNNの最も単純な構成例を右ページに示します。これはある時刻における系列の観測値にあたる入力層と単一の中間層、そして次の時刻の予測にあたる出力層をもつ点で、多層パーセプトロンに近いモデルです。このモデルと多層パーセプトロンを分けるのは、**中間層が再帰的（リカレント）な結合により、1時刻前の自身の状態にも依存して値を変える点**です。

RNNとはこのような再帰的結合をもつニューラルネットワークの総称であり、再帰的結合は複数ステップの時間遅れをもつようにもモデル化できます。

30秒でわかる！ ポイント

リカレントニューラルネットワークの構成例

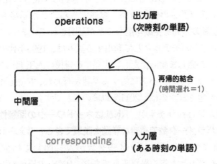

以下の文字列から"operations"を予測したい

...have corresponding **operations** in the ...

(From http://en.wikipedia.org/wiki/Fourier_transform)

operations　　出力層
（次時刻の単語）

再帰的結合
（時間遅れ＝1）

中間層

corresponding　　入力層
（ある時刻の単語）

 ワンポイント解説！

● 多層パーセプトロンと近いモデル
● 多層パーセプトロンとの違いは中間層が再帰的結合、つまり1時刻前の自身の状態にも依存して値を変える点

▶ ディープラーニング

04 | 系列予測とRNN(2)

RNN は時間方向に展開すると動作がとらえやすくなります。たとえば前節で紹介した RNN は右図のように展開できます。この意味でRNN は長い系列を入力に取るディープニューラルネットワークであり、学習アルゴリズムにも確率的勾配法と誤差逆伝搬法が利用できます。また時間方向にパラメータが使い回されているのは、時間方向の定常性を利用しているあらわれです。引き延ばす長さは任意なので、RNN は任意の長さの依存関係を記述できることが示唆され、実際**RNN は任意の系列を生成可能**なことが証明されています。

RNN を言語のモデルとして利用する試みは、1990年代のエルマンの研究に端を発します。ただし、実際に小規模な人工データを超えて大規模なテキストコーパスに対する学習が行われ、N-gram を凌駕する性能が実現されたのは、2011年以降のことです。

議論の余地は残りますが、**RNN はネットワークの深層性から比較的小さなパラメータ数で複雑な挙動を表現できる**と考えられます。この表現効率のよさは、パラメータ数が N に関して指数的となるN-gram モデルと大きく異なる点であり、RNN で優れた予測性能が実現できた大きな要因だと考えられます。

RNN はこれまで述べてきた優れた特徴の反面、**勾配消失・爆発問題といった問題**がほかのディープニューラルネットワークと比べても**顕著**です。1997年にシュミットヒューバーらによって提案された**LSTM**は、RNN に長期の情報記憶に適した構造を加えたものであり、最初期のディープラーニングの成功例でしょう。LSTM は現在多くの応用例が報告されており、系列データを扱うなら選択肢の1つに入れるべきでしょう。

30秒でわかる！ポイント

時間方向に展開されたRNN

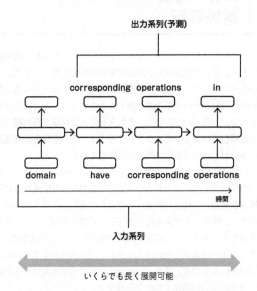

出力系列（予測）

corresponding　operations　in

domain　have　corresponding　operations

時間

入力系列

いくらでも長く展開可能

ワンポイント解説！

● N-gramモデルに比べ比較的小さなパラメータ数で複雑な挙動を表現することができる
● LSTMはRNNにゲート構造を加え改善したもの
　→応用例が多く有用なモデルといえる

▶ディープラーニング

05 | ニューラル 機械翻訳

　盛り上がりを見せるニューラルネットワークの応用分野に**機械翻訳**があります。ここでは RNN が非常に重要な役割を果たします。まずこれらのモデルは RNN により複雑な時系列に対する有効な特徴量の学習が可能であるという事実を活用したものです。たとえば英語テキストを十分に学習した RNN は、**テキストのもつ意味を隠れ層（中間層）で表現している**と考えることができます。この**意味表現を翻訳へ利用するのがニューラル機械翻訳の基本的な発想**です。

　この問題において大きな転換点となったのは seq2seq と呼ばれるモデルの登場です。このモデルは**入出力で2つの RNN をつなげるという単純な構造**から成っています。たとえば英語からフランス語への翻訳を考えた場合、まず入力側の RNN で英語を処理することで隠れ状態を得ます。そしてこの隠れ状態を初期値として、出力側の RNN がフランス語の翻訳文を生成するように、2つの RNN をあわせて誤差逆伝搬法により学習します。seq2seq は特に構造の似ている言語間であれば非常に高い精度で翻訳が可能です。

　ただ、seq2seq では文章が長くなると勾配消失などによって翻訳がむずかしくなります。この問題はアテンションメカニズムと呼ばれる方法により改善できます。アテンションメカニズムは出力側の RNN が翻訳文を生成する時々に応じて翻訳元の文章の注目すべき箇所を随時選択するメカニズムです。アテンションを利用することで、より高い翻訳精度を達成することができます。

30秒でわかる！ ポイント

ニューラル機械翻訳の仕組み

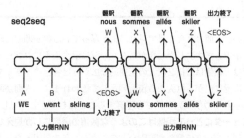

出典)Ilya Sutskever, Oriol Vinyals, and Quoc V. Le. 2014. Sequence to sequence learning with neural networks. In Proceedings of the 27th International Conference on Neural Information Processing Systems - Volume 2 (NIPS'14), Z. Ghahramani, M. Welling, C. Cortes, N. D. Lawrence, and K. Q. Weinberger (Eds.), Vol. 2. MIT Press, Cambridge, MA, USA, 3104-3112.

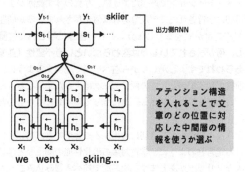

アテンション構造を入れることで文章のどの位置に対応した中間層の情報を使うか選ぶ

出典)Bahdanau, D., Cho, K., & Bengio, Y. (2014). Neural machine translation by jointly learning to align and translate. arXiv, [arXiv:1409.0473].

▶ ディープラーニング

01 | 画像データとは

　われわれ人間は写真を目で見れば何が写っているのか即座に理解することができます。しかしながら右ページに示すようにコンピュータの中では、画像は縦横2次元の空間的な広がりと各色チャネルを合わせた3次元に広がる巨大な数値配列として扱われます。人間が同じ画像をあらわす数値配列を見ても理解することはむずかしいでしょう。**コンピュータにとって画像はこのような数値の羅列にしか見えないことが、画像データの分類や識別などのむずかしさの要因となります。**

　数値配列として画像を眺めた際、大きな問題となるのが画像のもつ位置ずれに対する不変性が利用しにくくなる点です。18章5節のデータオーグメンテーションで述べたように、写真の写す範囲が少しずれても、適切に学習されたモデルであれば何が写されているか問題なく言い当てることができるでしょう。これは**画像に写された位置が変わっても、何が写されているかは変わらないという不変性（並進不変性）のあらわれ**です。しかしながら右ページで説明するように、並進操作の前後で数値配列としての画像データはまったく異なるものとなるため、この不変性はコンピュータにとって理解しにくいものとなります。

　このような不変性をもし適切に利用することができれば、系列データにおける定常性のように、学習対象の汎化性能の向上など学習において多大なメリットがあります。次の節で述べる**畳み込みニューラルネットワークは、ニューラルネットワークの構造へ画像データのもつ並進不変性を組み込むことにより**、この問題を改善する方法です。

30秒でわかる！ ポイント

コンピュータにはどう見えているのか

 コンピュータにとっては. . .

→
166, 56, 65, 98, 137, 98, 75, 41,
75, 97, 98, 139, 163, 139, 74, 165, 195,
139, 98, 76, 75, 98, 91, 55, 59,
105, 114, 74, 49, 141, 166, 48, 64, 124,
105, 74, 75, 48, 172, 131, 41, 75, 189,
162, 49, 105, 59, 140, 139, 89, 73, 124,
106, 106, 187, 197, 139, 97, 163, 140, 74,
164, 198, 116, 172, 139, 140, 138, 161, 149,
91, 190, 99, 74, 97, 115, 116, 108, 56,
106, 197, 130, 68, 57, 38, 24, 73, 89,
123, 74, 197, 181, 98, 75, 40, 48, 41,
117, 89, 97, 75, 96, 139, 90, …

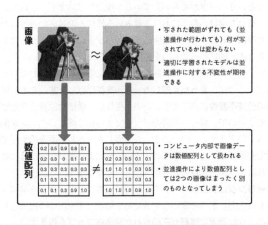

画像

≈

- 写された範囲がずれても（並進操作が行われても）何が写されているかは変わらない
- 適切に学習されたモデルは並進操作に対する不変性が期待できる

数値配列

0.2	0.5	0.9	0.8	0.1
0.2	0.3	0	0.1	0.1
0.3	0.3	0.3	0.3	0.3
0.1	0.3	0.3	0.3	0.3
0.1	0.1	0.3	0.9	1.0

≠

0.2	0.2	0.2	0.2	0.1
0.2	0.3	0.5	0.1	0.1
1.0	1.0	1.0	0.3	0.5
0.1	1.0	1.0	1.0	1.0
1.0	1.0	1.0	0.9	1.0

- コンピュータ内部で画像データは数値配列として扱われる
- 並進操作により数値配列としては2つの画像はまったく別のものとなってしまう

▶ディープラーニング

02 | CNN(1)

　CNN は畳み込み層とプーリング層を交互に重ねて構成された**ニューラルネットワーク**です。ここではこれらの層の構成単位である、**畳み込み演算とプーリング**をまず見ていきましょう。

　たとえば、画像は小さなパーツが組み合わさって全体ができあがっていると考えることができます。この考えにもとづき、**畳み込み演算**では受け取る画像を小さな断片（パッチ）へと分解し、各パッチでどのようなパーツがあらわれているかをニューロンで検出します。右ページの図ではカメラマンの写真を例にこれを説明します。ここでは画像を16×16 のパッチに分解し、それぞれで右上から左下への斜めの線分というパーツがあらわれているか検出しています。このニューロンの結合強度は、数学における畳み込み操作との対応から特に**カーネル**と呼ばれることもあります。また各パッチに対するニューロンの反応を2次元的に並べたものを**特徴量マップ**と呼びます。

　さて、畳み込み演算では、画像の異なる位置から取り出したパッチを処理するのに、**まったく同じカーネルを使い回します**。この根拠は**画像の並進不変性**にあります。この不変性から画像は位置を任意にずらしてよいので、異なる位置のパッチでまったく同じパターンが出現しうるといえます。このためまったく同じカーネルを画像のすべての位置で利用することができるのです。これにより畳み込み演算に必要とされるパラメータはとても小さなものとなります。

　プーリングは特徴量マップを局所的に粗視化して、次元を削減するとともに入力における微小な位置変動を吸収します。この結果として右図のように**適度に情報が圧縮された特徴量マップ**を得ます。

30秒でわかる！ ポイント

プーリングとは

特徴量マップ

特徴（ここでは右斜め
の線）があらわれる箇
所が抜き出される

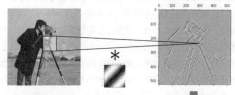

元の画像　　　　カーネル　　　　

プーリング

疎視化された
特徴量マップ

畳み込み演算とプーリングの概要

元の画像に対してカーネルを用い、畳み込
み演算をすることで特徴量マップを作成
し、プーリング層によって特徴量マップを
疎視化し、微小な位置変動を吸収する！

▶ディープラーニング

03 | CNN(2)

　CNN の学習では、**層を追うごとに小さなパーツから大きなパーツへ特徴を構成していくようにカーネルの学習が進む**といえます。

　たとえば画像を直接受け取る第１層の畳み込み層のニューロンは、多くの場合、画像にあらわれる**線分などの簡単な特徴**に対応するカーネルを獲得します。この特徴量マップを入力とする第２層の畳み込み層のニューロンは、さらに第１層で抜き出された**線分を多数合成してつくられる複雑な特徴**に対応するカーネルを獲得します。このような処理を多段階積み重ねた CNN の最終層は、非常に複雑であり、また有用な特徴を抽出することが経験的にわかっています。右ページに代表的な CNN である LeNet-5と AlexNet の構造を示します。

　1980年代の終わりから1990年代にかけてラカンにより提案されたCNN も、LSTM と同様に最初期のディープニューラルネットワークだといえます。提案時には数字画像の識別などでよい性能を実現したCNN は、発見的に構成された画像特徴量とサポートベクターマシンの組み合わせに対して敗れてからは長らく復活することができませんでした。

　しかし近年になってビッグデータに対するディープラーニングが可能となったことから、**自然画像（つまり写真）の識別・分類問題において CNN は非常に優れた性能を実現する**に至りました。現在、多量の画像データに対する識別問題は CNN を使うことが標準的となっています。

30秒でわかる！ ポイント

LeNet-5とAlexNetの構造

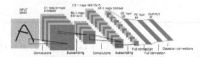

LeNet-5、1998年提案（参考①）

1990年代に提案されたLeNet-5は現在利用される
CNN（例 AlexNet）の基本要素をすべて含む

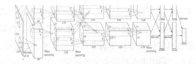

AlexNet、2012年提案（参考②）

CNNは前節で説明したフィルタの畳み込みとプーリン
グを多段直列したもの

現在、多量の画像データに対する識別問題はCNNを使
うことが標準的。RNNを利用することが標準的だった系
列データも、CNNを利用して分析することがあります

参考

①Y.LeCun et al., Gradient-based learning applied to document recognition.
　Proceedings of the IEEE, november 1998
②A.Krizhevsky et al., ImageNet Classification with Deep Convolutional Neural
　Networks, NIPS 2012

▶ディープラーニング
04 | 画像の生成

　ここではニューラルネットワークを利用した画像処理の締めくくり
として、近年大きな脚光を浴びる画像生成を紹介します。

　画像変換に関して重要な役割を果たすのが **GAN（Generative
Adversarial Network）** と呼ばれる生成的なニューラルネットワー
クです。GAN は生成器と識別器と呼ばれる２つのニューラルネット
ワークから成ります。生成器はノイズを受け取り偽の画像を生成しま
す。そして識別器は生成器からのサンプルとデータセットからのサン
プルを受け取り、それが生成器による偽物かデータセットのものか識
別を行います。**生成器は識別器をだますことができるように、識別器
は生成器にだまされないように学習が行われます。**学習の初期では、
ノイズから生成した偽画像も単なるノイズでしかないのですが、**識別
器をだますように訓練が進んだ生成器は、人が見ても本物と見間違う
ようなサンプルを生成**します。

　GAN を畳み込み層により構成し、画像生成へ特化させたものが
Deep Convolutional GAN（DCGAN） であり、さらに高品質な
画像の生成が可能です。もしニューラル画像生成を応用したいなら、
この DCGAN を利用するのがよいでしょう。

　GAN においてノイズの代わりに変換元とする画像を入力すれば
GAN を画像変換へ応用することができます。この方法により、低解
像度の画像を高解像度の画像へ変換する超解像技術（参考②）や、欠
損画像の補完（参考③）などが実現できます。

30秒でわかる！ ポイント

GANの仕組み

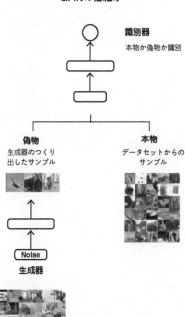

識別器
本物か偽物か識別

偽物
生成器のつくり
出したサンプル

本物
データセットからの
サンプル

Noise

生成器

モデルからのサンプル
（参考①）

[参考]
①A. Radford et al., Unsupervised Representation Learning with Deep
　Convolutional Generative Adversarial Networks, arXiv 2016
②D. Pathak et al., Context Encoders: Feature Learning by Inpainting, CVPR 16
③C. Ledig et al., Photo-Realistic Single Image Super-Resolution Using a
　Generative Adversarial Network, arXiv 2016

おわりに

　駆け足ではありましたが、データサイエンスの中核を成す基礎技術を学んできました。本書が体系的に基礎知識を身につけるきっかけになり、各技術がどういう文脈にある技術なのか、理解する一助になったならば筆者としてそれに勝る喜びはありません。

　それでは本書を通じて全体がわかったあとは何をすればよいのでしょうか？　一概にはいえませんが、とりあえず自身が興味をもったところから深掘りしていくのがよいと思います。興味の引かれたデータの収集や一次分析に時間を割くのもいいと思いますし、データコンペティションに参加するのも非常によい勉強になると思います。

　また、最近では詳細な解説つきのコード例なども豊富にネット上にリソースがあるため（質は玉石混交ですが）、それらを用いて手っ取り早く試してみるのもいいと思います。

　また、本書で学んだ知識を元に、いわゆる理工書のコーナーに立ち寄ってみるのもよいと思います。理工書は一般的に値段が高く、なかなか手を出しづらいとは思うのですが、データサイエンス全体の中でどういう役割をもっているものなのか理解した上で改めて理工書の本棚を眺めてみると、今までとはまた違った興味をもてるようになると思います。立ち読みでもよいと思うので、とりあえず手に取ってみると新しい世界が広がるかもしれません。

　本書を執筆するにあたって多くの方々にお世話になりました。簡単にではありますが、ここで御礼を申し上げます。

　まず筆者に一般向けのデータサイエンス本を執筆したらどうかという話をもちかけて下さった、東京大学大学院経済学研究科の渡辺努先生に謝辞を述べます。先生とは私がまだ修士課程の学生だった頃からの付き合いで、公私にわたり貴重なアドバイスをいく度となく賜って

きました。日頃の感謝の念も込めてこの場を借りて御礼申し上げます。

　本書のような一般向けの書籍を執筆する上で、アカデミア以外での活動が筆者にとって強い動機づけとなったことはいうまでもありません。特にデータサイエンス関係のセミナーなどをする機会を与えて下さった日本銀行調査統計局、株式会社ナウキャスト、内閣府のみなさま方には大変お世話になりました。いただいた貴重な機会から学び取ったさまざまな気づきが本書の肉付けに役立ったことはいうまでもありません。この場を借りて御礼申し上げます。

　旧友の株式会社デンソーの竹倉啓太氏にはビジネスパーソンの立場から本書に関する貴重な意見や助言をもらいました。本書の構成が今のような形にまとまったのは氏の助言によるところが大きいです。東京に来たら一杯奢ります。

　末筆ながら筆者に出版の機会を与えて下さり、本書の企画段階から遅筆・乱筆にお付き合いいただいた株式会社 KADOKAWA の田中伸治様には深く御礼を申し上げます。また、筆者の初稿に比べ最終稿が随分読みやすくなっているのは編集者の前窪明子様の貢献によるところが大きいです。

　皆様方本当にありがとうございました。

東京大学大学院情報理工学系研究科
ソーシャル ICT 研究センター特任助教
久野遼平

＊＊＊＊

　本書の中で私はおもにコンピュータの動作の仕組みやディープラーニングに関わる箇所の原稿を執筆させていただきました。さて、本書を通じてお伝えしてきた通り、データサイエンスはコンピュータ科学

から統計学、機械学習までを幅広く含んだ複合的な領域です。特に、データサイエンスにおける基礎的なコンピュータ科学に関する知識の重要性は、共著者の久野遼平先生とともにかねてから痛感していました。その一方で、既存のデータサイエンス関連図書では、このようなコンピュータ科学の基礎知識はなかなか重視されてこなかったともいえます。この点において、データサイエンスへの応用を見据えたコンピュータ科学の解説は本書の特色の1つといえるでしょう。このたび、このように本書の重要な部分へ貢献できたことをとてもうれしく思います。

　ディープラーニングに関する章では、ニューラルネットワークの歴史からディープラーニングに至るまでの技術発展の歴史を俯瞰することを試みました。ディープラーニングはまだ成熟しきっていない分野であり、その行く末は誰にも正確にはわかりません。また、応用の上でもイメージばかりが先行してしまい、本当にディープラーニングを適用することが正しいかどうかの見極めも十分になされていないのかもしれません。本書で試みた技術的な俯瞰が、ディープラーニングにおける今後の動向、ひいては実際のビジネス現場でのディープラーニングの応用の可能性を見極める上で、少しでも役に立てば幸いです。

　本書を執筆するにあたりお世話になった方々に、この場で感謝の言葉を述べさせて頂きます。まず私に原稿執筆の話をもちかけていただき、また共著者としても私の拙い原稿へ数々のフィードバックを与えていただいた久野遼平先生に感謝いたします。

　また出版の機会を与えて下さった株式会社KADOKAWAの田中伸治様にも深く感謝いたします。田中様ならびに編集者の前窪明子様には遅々として進まない私の原稿執筆につきあっていただくに留まらず、出版へ至るまでに重要なコメントを数々いただきました。重ねて感謝いたします。

　最後になりますが、このたびの原稿執筆を許可していただきまし

た、私が所属する研究室の山西健司先生に感謝いたします。

数理情報学専攻特任助教
木脇太一

参考文献

最後に本書で扱った内容についてもう少し専門的に勉強を続けたい読者のために、ジャンルごとにいくつか推薦図書を掲載しておきます。

● 半導体技術およびコンピュータの基礎

『コンピュータの構成と設計　第5版』デイビッド A パターソン／ジョン L ヘネシー 著、成田光彰 訳（2014年）
『半導体デバイスの基礎』浜口智尋／谷口研二 著（2009年）
『ファインマン計算機科学』リチャード P ファインマン 著 A. ヘイ／R. アレン 編、原康夫／中山健／松田和典 訳（1999年）

次の本は Unix の実装に関するものですがコンピュータの動作を理解する上でも参考になるでしょう

『The Design and Implementation of the 4.3BSD Unix Operating System』Samuel J. Leffler ／ Marshall Kirk McKusick ／ Michael J. Karels ／ Quarterm 著（1989年）

GPU コンピューティングに関しては以下を参照してください

『GPU プログラミング入門 ——CUDA5 による実装』伊藤智義 編
（2013 年）

● ウェブスクレイピング

『Web Scraping with Python: Collecting Data from the Modern
Web 1st Edition』Ryan Mitchel 著（2015 年）

● データベース

『パターンでわかる Hadoop MapReduce －ビッグデータのデー
タ処理入門』三木大知 著（2012 年）
『NoSQL for Mere Mortals』Dan Sullivan 著（2015 年）

● プログラミング

『エキスパート Python プログラミング　改訂 2 版』Michal
Jaworski ／ Tarek Ziade 著、稲田直哉／芝田将／渋川よしき／
清水川貴之／森本哲也 訳（2018 年）
『The C Programming Language, 2nd Edition』Brian W.
Kernighan ／ Dennis M. Ritchie 著（1988 年）
『Algorithms + Data Structures = Programs (Prentice-Hall Series
in Automatic Computation)』Niklaus Wirth 著（1976 年）
『Algorithms and Data Structures』Niklaus Wirth 著（1985 年）

関数プログラミングに関しては以下を参照してください

『Structure and Interpretation of Computer Programs』Harold
Abelson ／ Gerald Jay Sussman 著、Julie Sussman 寄稿（1996 年）
『すごい Haskell たのしく学ぼう！』Miran Lipovaca 著、田中英
行／村主崇行 訳（2012 年）
『関数プログラミング入門 ——Haskell で学ぶ原理と技法』

Richard Bird 著、山下伸夫 訳（2012 年）

『プログラミング Haskell』Graham Hutton 著、山本和彦 訳（2009 年）

『ハッカーと画家 コンピュータ時代の創造者たち』Paul Graham 著、川合史朗 訳（2005 年）

『Scala スケーラブルプログラミング 第 3 版』Martin Odersky ／ Lex Spoon ／ Bill Venners 著、羽生田栄一／水島宏太 監修、長尾高弘 訳（2016 年）

データサイエンスへの応用を念頭に置いた Python プログラミングに関しては次の書籍がよいでしょう

『Python によるデータ分析入門 ——NumPy、pandas を使ったデータ処理』Wes McKinney 著、小林儀匡／鈴木宏尚 ／瀬戸山雅人／滝口開資／野上大介 訳（2013 年）

プログラミング技術の発展に関して知るには次の書籍がよいでしょう

『Coders at Work: Reflections on the Craft of Programming』Peter Seibel 著（2016 年）

『ハッカーズ』Steven Levy ／松田信子／古橋芳恵 著（1987 年）

● アルゴリズム

『Introduction to Algorithms, 3rd Edition』Thomas H. Cormen ／ Charles E. Leiserson ／ Ronald L. Rivest ／ Clifford Stein 著（2009 年）

『The Art of Computer Programming Volume 1 Fundamental Algorithms Third Edition 日本語版』Donald E.Knuth 著、有澤誠 ／和田英一 監訳、青木孝／筧一彦／鈴木健一／長尾高弘 訳（2015 年）

● 最適化

『非線形最適化の基礎』福島雅夫 著（2001 年）

『Convex Optimization』Stephen Boyd ／ Lieven Vandenberghe 著（2004 年）

『Numerical Optimization』Jorge Nocedal ／ Stephen Wright 著（2006 年）

『確率的最適化（機械学習プロフェッショナルシリーズ)』鈴木大慈 著（2015 年）

『機械学習のための連続最適化（機械学習プロフェッショナルシリーズ)』金森敬文／鈴木大慈／竹内一郎／佐藤一誠 著（2016 年）

凸関数の性質は以下を見るとよいでしょう

『離散凸解析』室田一雄 著（2001 年）

『今日から使える！組合せ最適化　離散問題ガイドブック』穴井宏和／斉藤努 著（2015 年）

『組合せ最適化　第 2 版（理論とアルゴリズム)』B. Korte ／ J. Vygen 著、浅野孝夫／浅野泰仁／小野孝男／平田富夫 訳(2012 年)

● 機械学習

機械学習に必要な統計学や数学の基礎知識を得るには以下がよいでしょう

『An Introduction to Statistical Learning: with Applications in R』Gareth James ／ Daniela Wittem ／ Trevor Hastie ／ Robert Tibshirani 著（2013 年）

『Advanced Data Analysis from an Elementary Point of View』Cosma Rohilla Shalizi 著（http://www.stat.cmu.edu/~cshalizi/ADAfaEPoV/）＊ウェブサイト

『機械学習のための確率と統計（機械学習プロフェッショナルシ

リーズ）』杉山将 著（2015 年）

『東京大学工学教程 情報工学 機械学習』中川裕志 著、東京大学工学教程編纂委員会 編（2015 年）

『データ解析のための統計モデリング入門 ——一般化線形モデル・階層ベイズモデル・MCMC（確率と情報の科学）』久保拓弥 著(2012 年)

機械学習の代表的な書籍としては以下の書籍があります

『Pattern Recognition and Machine Learning (Information Science and Statistics)』Christopher M. Bishop 著（2010 年）

『The Elements of Statistical Learning: Data Mining, Inference, and Prediction, Second Edition (Springer Series in Statistics)』Trevor Hastie／Robert Tibshirani／Jerome Friedman 著(2008 年)

『Machine Learning: A Probabilistic Perspective (Adaptive Computation and Machine Learning series)』Kevin P. Murphy 著（2012 年）

『Understanding Machine Learning: From Theory to Algorithms』Shai Shalev-Shwartz／Shai Ben-David 著(2014年)

『Information Theory, Inference and Learning Algorithms』David J. C. MacKay 著（2003 年）

機械学習の文脈で書かれた離散最適化には次の文献があります

『劣モジュラ最適化と機械学習（機械学習プロフェッショナルシリーズ）』河原吉伸／永野清仁 著（2015 年）

ブースティングに関しては以下にまとまった解説があります

『ブースティング —— 学習アルゴリズムの設計技法（知能情報科学シリーズ）』金森敬文／畑埜晃平／渡辺治 著、小川英光 監修（2006 年）

機械学習における汎化誤差の理論的な解析は以下を参照してください

『情報論的学習理論』山西健司 著（2010 年）

『データマイニングによる異常検知』山西健司 著（2009 年）

『統計的学習理論（機械学習プロフェッショナルシリーズ）』金森敬文 著（2015 年）

『ベイズ統計の理論と方法』渡辺澄夫 著（2012 年）

『バンディット問題の理論とアルゴリズム（機械学習プロフェッショナルシリーズ）』本多淳也／中村篤祥 著（2016 年）

教師なし学習を利用したデータマイニングおよび異常検知に関しては以下が参考となります

『データマイニングによる異常検知』山西健司 著（2009 年）

『入門 機械学習による異常検知 ――R による実践ガイド』井手剛 著（2015 年）

行列分解に関しては以下の書籍が参考となります

『関係データ学習（機械学習プロフェッショナルシリーズ）』石黒勝彦／林浩平 著（2016 年）

『Nonnegative Matrix and Tensor Factorizations: Applications to Exploratory Multi-way Data Analysis and Blind Source Separation』Andrzej Cichocki ／ Rafal Zdunek ／ Anh Huy Phan ／ Shun-ichi Amari 著（2009 年）

サポートベクターマシンおよびカーネル法に関しての詳細な説明は以下を参照するとよいでしょう

『カーネル多変量解析 ――非線形データ解析の新しい展開（シリーズ確率と情報の科学）』赤穂昭太郎 著（2008 年）

『カーネル法入門 ――正定値カーネルによるデータ解析（シリー

ズ多変量データの統計科学)』福水健次 著（2010 年）

『Reproducing Kernel Hilbert Spaces in Probability and Statistics』Alain Berlinet ／ Christine Thomas-Agnan 著（2013 年）

『Support Vector Machines (Information Science and Statistics)』Ingo Steinwart ／ Andreas Christmann 著（2014 年）

『サポートベクトルマシン（機械学習プロフェッショナルシリーズ）』竹内一郎／烏山昌幸 著（2015 年）

テキストマイニングおよび自然言語処理・翻訳に関しては以下を参照するとよいでしょう

『言語と計算（4）確率的言語モデル』北研二／辻井潤一 著（1999 年）

『Foundations of Statistical Natural Language Processing (MIT Press)』Christopher Manning ／ Hinrich Schuetze 著（1999 年）

『Statistical Machine Translation』Philipp Koehn 著（2009 年）

『言語処理のための機械学習入門（自然言語処理シリーズ）』高村大也 著、奥村学 監修（2010 年）

『入門 自然言語処理』Steven Bird ／ Ewan Klein ／ Edward Loper 著、萩原正人／中山敬広／水野貴明 訳（2010 年）

『高速文字列解析の世界 —— データ圧縮・全文検索・テキストマイニング（確率と情報の科学）』岡野原大輔 著（2012 年）

『ウェブデータの機械学習（機械学習プロフェッショナルシリーズ）』ダヌシカ・ボレガラ／岡崎直観／前原貴憲 著（2016 年）

『深層学習による自然言語処理（機械学習プロフェッショナルシリーズ）』坪井祐太／海野裕也／鈴木潤 著（2017 年）

LDA などトピックモデルに関しては以下を参照してください

『トピックモデルによる統計的潜在意味解析（自然言語処理シリーズ）』佐藤一誠著、奥村学 監修（2015 年）

『トピックモデル（機械学習プロフェッショナルシリーズ）』岩田
具治 著（2015 年）

**15 章で登場した確率的モデルの図表はグラフィカルモデルとして
知られています。こちらに関してはまとまった解説書として以下
があります**

『Probabilistic Graphical Models: Principles and Techniques
(Adaptive Computation and Machine Learning series)』
Daphne Koller ／ Nir Friedman 著（2009 年）
『Causality: Models, Reasoning and Inference』Judea Pearl 著
（2009 年）
『グラフィカルモデル（機械学習プロフェッショナルシリーズ）』
渡辺有祐 著（2016 年）

**9 章 1 節でふれた半教師あり学習のまとまった解説は次を参照し
てください**

『Semi-Supervised Learning (Adaptive Computation and
Machine Learning series)』Olivier Chapelle ／ Bernhard
Schölkopf ／ Alexander Zien 編著（2010 年）

**本書では詳しく述べることのできなかった連続の状態遷移モデル
に関しては次を参照するとよいでしょう。実データを取り扱った
例も豊富です**

『データ同化入門（予測と発見の科学）』樋口知之 編著（2011 年）

● ディープラーニング

**ディープラーニングに関する最近の話題は以下の書籍を参照して
ください**

『Deep Learning (Adaptive Computation and Machine Learning series)』Ian Goodfellow ／ Yoshua Bengio ／ Aaron Courville 著（2016 年）

『深層学習（機械学習プロフェッショナルシリーズ）』岡谷貴之 著（2015 年）

神経科学とニューラルネットワークの関係性やニューラルネットワーク・ディープラーニングの発展の歴史を見るには以下の書籍が参考となります

『ビジョン －視覚の計算理論と脳内表現』David Marr 著、乾敏郎／安藤広志 訳（1987 年）

『Pulsed Neural Networks (MIT Press)』Wolfgang Maass ／ Christopher M. Bishop 編（2001 年）

『Theoretical Neuroscience: Computational and Mathematical Modeling of Neural Systems (Computational Neuroscience Series)』Peter Dayan ／ Laurence F. Abbott 著（2005 年）

『Perceptrons』Marvin Minsky ／ Seymour Papert 著（1969 年）

『Parallel Distributed Processing, Volume 1』David E. Rumelhart ／ James L. McClelland ／ PDP Research Group 著（1986 年）

『Introduction to the Theory of Neural Computation (Santa Fe Institute Series)』John Hertz ／ Anders Krogh ／ Richard G. Palmer 著（1991 年）

『Learning Deep Architectures for AI (Foundations and Trends in Machine Learning)』Yoshua Bengio 著（2009 年）

CNN における畳み込み演算はコンピュータビジョンという分野で古くから知られているものです。コンピュータビジョンに関しては次の書籍に基礎的な事項がまとまっています

『コンピュータビジョン』David A. Forsyth ／ Jean Ponce 著、大

北剛 訳（2007 年）

● ネットワーク

『Networks: Second Edition Hardback』Mark E. J. Newman 著（2018 年）
『複雑ネットワーク ── 基礎から応用まで』増田直紀／今野紀雄 著（2010 年）
『The Structure of Complex Networks: Theory and Applications』Ernesto Estrada 著（2016 年）

● 人工知能（全般）

『Paradigms of Artificial Intelligence Programming: Case Studies in Common Lisp』Peter Norvig 著（1991 年）
『Artificial Intelligence: A Modern Approach, Global Edition』Stuart Russell ／ Peter Norvig 著（2016 年）

映画「2001 年宇宙の旅」に登場する架空の AI「HAL9000」と比較・解説したものです。本書の内容を含めて今日の AI 研究と比較すると面白いかもしれません

『HAL（ハル）伝説 ── 2001 年コンピュータの夢と現実』David G. Stork 原著、日暮雅通 訳（1997 年）

文庫化に際して

本書は2018年3月に出版されました。最初書店に並んだ時にはどうなることかと内心肝を冷やしていましたが、版を重ねるとともに図解版や韓国語版も出版され、著者らとしては大変喜ばしい限りです。さらにこの度、文庫化の話まで頂いて恐縮するばかりです。

本書は学問分野をざっとまとめるという本シリーズのコンセプトにあわせて、データサイエンスに関する基礎事項をまとめたものです。本書の執筆時点から早いもので5年近く経ちましたが、データサイエンスやAIの分野はその間も飛躍的に進歩しました。特に近年ではトランスフォーマー技術の発明と共に自然言語処理技術や画像分析技術の進歩が目覚ましく、その応用範囲も広がっています。また、両筆者ともに肩書きが変わり、見えてくる景色も少しだけ変化しました。

そうしたことが関係してか、今となっては上手に書けたと思う部分もあれば、逆にこう書いた方がよかったのではないかと、不満に思う部分も少なからずあります。

しかしながらまずは知っておいて欲しい基本事項を俯瞰する分には本書の有用性はまだ失われていないと思います。本書を通じてデータサイエンスという分野を少しでも知ってもらうことができたとするならば著者らとしては嬉しい限りです。

2022年11月

久野遼平・木脇太一

本書は、二〇一八年三月に小社より刊行された
単行本を加筆修正のうえ、文庫化したものです。

大学4年間のデータサイエンスが10時間でざっと学べる

久野遼平　木脇太一

令和4年12月25日　初版発行
令和6年10月10日　再版発行

発行者●山下直久

発行●株式会社KADOKAWA
〒102-8177　東京都千代田区富士見2-13-3
電話　0570-002-301(ナビダイヤル)

角川文庫 23463

印刷所●株式会社KADOKAWA
製本所●株式会社KADOKAWA

表紙画●和田三造

●お問い合わせ
https://www.kadokawa.co.jp/　(「お問い合わせ」へお進みください)
※内容によっては、お答えできない場合があります。
※サポートは日本国内のみとさせていただきます。
※Japanese text only

©Ryohei Hisano, Taichi Kiwaki 2018, 2022　Printed in Japan
ISBN 978-4-04-605977-2　C0130

◆◇◇